wiedza
w pytaniach
i odpowiedziach

obrazkowa encyklopedia dla dzieci
SPORT

Pomysł:
É. Beaumont

Tekst:
E. Paroissien

Ilustracje:
Y. Lequesne, str. 9: M.-C. Lemayeur i B. Alunni

Spis treści

Początki sportu

- *Sport narodził się razem z pierwszymi zajęciami człowieka, takimi jak polowanie czy łowienie ryb.*

- *W całym starożytnym świecie aktywność fizyczna była rozwijana w formie gier. Po inwazjach barbarzyńców w IV wieku sport nie przestał istnieć, ale przybrał formę treningów wojennych: gier, turniejów, strzelania z łuku. Aż do XV wieku gry w piłkę były źle widziane, a czasami wręcz zabranianie.*

- *Później wszystko się zmieniło. W epoce odrodzenia sport rozkwitł i stał się zabawą. Słowo „sport" pochodzi od francuskiego słowa „desport", oznaczającego rozrywkę.*

W jaki sposób uprawiano sport w epoce prehistorycznej?

Dzięki archeologom wiadomo dzisiaj, że ludzie prehistoryczni uprawiali łucznictwo, pływali, ślizgali się po lodzie. W okresie kamienia łupanego grano nawet w kręgle, tocząc okrągłe kamienie w stronę wbitych w ziemię zaostrzonych kości baranich albo mamucich...

W jaki sposób Minojczycy odkryli gimnastykę?

Pokojowy lud Minojczyków, który żył na Krecie w latach 3000–1500 przed narodzeniem Chrystusa, pasjonował się niebezpiecznym sportem – zeskakiwaniem z byka uprawianym w parach. Człowiek drażnił atakujące zwierzę. Kiedy byk znajdował się w zasięgu ręki, kobieta chwytała go za rogi i wykonywała piruet na grzbiecie zwierzęcia. Towarzyszący jej mężczyzna pomagał w zeskoku z tyłu.

Dlaczego baseball jest starszy niż sądzimy?

W latach 1300–800 przed narodzeniem Chrystusa wielką pasją Majów z Ameryki Środkowej była gra w piłkę, i to w specyficzny sposób. Archeologom udało się znaleźć całe wyposażenie do gry: skórzane rękawice ochronne, nakolanniki, pasy, wapienne i gliniane pałki.

Wyścigi rydwanów były najpopularniejszym sportem starożytnych Rzymian. Odbywały się na specjalnych torach do wyścigów konnych – hipodromach.

Dlaczego Rzymianie nigdy nie zatrzymywali rydwanów?

Rydwany ciągnięte przez 2, 4 albo 8 koni były lekkie i niestabilne. Pokonując zakręty toru wyścigowego z maksymalną prędkością, w kłębach kurzu, często przewracały się, zabijając woźnicę, ku wielkiej radości publiczności.

Dlaczego na Północy liczy się głównie siła?

Starożytne ludy południowe wynalazły wioślarstwo, szermierkę i boks (Egipt), grę w kule (Włochy), lekkoatletykę (Grecja), pływanie, piłkę nożną i kung-fu (Chiny), podczas gdy ludy Północy rzucały pniami! Ludzie Północy ciskali również kamieniami, kołami od wozów, młotami – wszystkim, co znajdowali na swojej drodze. Około 2000 roku przed narodzeniem Chrystusa wszystkie te sporty znalazły się w programie celtyckich zawodów sportowych w Tailteann, w Irlandii.

NIE DO WIARY!

● W 6 roku po narodzeniu Chrystusa, w czasie igrzysk olimpijskich, atleta Bybon podniósł podobno jedną ręką kamień ważący 143,5 kg. To pierwszy ciężarowiec w dziejach sportu.

5

Dlaczego koszykówka jest grą Azteków?

Aztekowie (żyjący na obszarach dzisiejszego Meksyku między IX a XV wiekiem) lubili grać w tlachtli – grę z piłką, rozgrywaną przez dwie drużyny na terenie w kształcie litery I. Celem gry było umieszczenie piłki w polu przeciwnika. Piłka musiała przelecieć przez zawieszoną na pewnej wysokości nad ziemią obręcz. Gracze mogli uderzać piłkę jedynie łokciami, biodrami i kolanami. Mecz musiał wyglądać śmiesznie...

W jaki sposób bawili się średniowieczni wieśniacy?

Grali w piłkę – stąd wywodzą się futbol i rugby. Grano na polach (boiska nie istniały) długimi godzinami (nie było ograniczeń czasowych), z dowolną

liczbą zawodników. Nie było żadnych zasad. Uderzenia pięścią, nogami, wyścigi – wszystko to było dobrze widziane. Całe miasteczka toczyły ze sobą walki: żonaci z kawalerami, mnisi i księża z parafianami...

W jaki sposób Irlandczycy grali w hurling?

Według legendy hurling został wymyślony przez irlandzkiego olbrzyma Cúchulainna w 1850 roku przed narodzeniem Chrystusa. W grze posługiwano się charakterystycznym kijem i piłką. W średniowieczu hurling był bardzo popularny w Wielkiej Brytanii.

We Francji w tym samym czasie pojawił się hocquet. W języku starofrancuskim słowo to oznacza zakrzywiony kij. Spotkanie obu dyscyplin zaowocowało narodzeniem współczesnej wersji hokeja.

W jaki sposób Anglicy ponownie wymyślili lekkoatletykę?

W dawnych czasach arystokraci z Londynu podróżowali karocami i mogli się nie przejmować ulicznymi korkami dzięki służącym, którzy biegli przed pojazdami i torowali im drogę. W XVII wieku bogacze wpadli na pomysł, by opłacać służących i obserwować, jak się ścigają, niczym konie na torach wyścigowych. W taki sposób zapomniane od starożytnych czasów biegi znowu stały się modne, a w XIX wieku zostały sztandarowym sportem igrzysk olimpijskich.

W jaki sposób Francuzi zadziwiali widzów?

Tenis narodził się w XII-wiecznej Francji. Nazywano go wówczas „grą dłonią". Mecze odbywały się na dziedzińcach domów, otoczonych zadaszonymi alejkami, gdzie zasiadali widzowie. Później wybudowano kryte sale – domy gry. Początkowo bardzo popularne wśród zamożnych, szybko zyskały złą reputację.

na kanałach. W XV wieku holenderscy marynarze spopularyzowali tę grę w Szkocji. Tam teren jest miękki i pasterze zamiast ustawiać siatki, kopali dołki. Kolf stał się golfem!

W jaki sposób Holendrzy uprawiali golf bez dołków?

Po holendersku kij to „kolf". Holendrzy w średniowieczu lubili pewną grę: lekko uderzali w piłeczkę, tak by odbiła się od siatki. Uprawiali ten sport, używając kija, z łyżwami na nogach, na twardej, lodowej powierzchni

NIE DO WIARY!

● Już szlachta epoki odrodzenia znała karate. Dyscyplina nazywała się nieco inaczej, a polegała na nacieraniu na przeciwnika tylko płaską i ostrą stroną dłoni.

Piłka nożna

- Ten sport uprawiany w starożytności i w średniowieczu miał różne nazwy (calcio we Włoszech, soule we Francji). Piłka nożna przyjęła swoją ostateczną formę dopiero w XIX wieku w Anglii.

- To prosta gra, w której obowiązuje 17 zasad. W meczu grają dwie drużyny, każda liczy 11 graczy. Mecz podzielony jest na dwie połowy, po 45 minut każda, z 15-minutową przerwą. W przypadku remisu przeprowadza się dogrywkę, podzieloną na dwie 15-minutowe połowy.

- Podstawowa zasada: nie wolno dotykać piłki rękami. Jedynymi osobami, które mają do tego prawo, są bramkarz i piłkarz rzucający piłkę z autu.

Jak Chińczycy grali w piłkę nożną?

Przed 2500 lat Chińczycy wymyślili grę w piłkę, którą kopało się nogą, i nazwali ją tsu chu. „Tsu" oznacza kopnięcie, a „chu" piłkę wykonaną ze zwierzęcej skóry. Gra szybko przyjęła się w wojsku, służyła tam do ćwiczeń. Wojownicy zastępowali piłkę głową nieprzyjaciela, co bardzo motywowało ich do walki.

Dlaczego w średniowiecznej Europie zabraniano grać w piłkę nożną?

W 1314 roku król Anglii wydał zakaz gry w piłkę na ulicach Londynu. A w owym czasie grano w nią masowo.

Drużyny składające się ze 100 zawodników uganiały się za piłką. Celem gry było zatrzymywanie piłki, i to jak najdłużej. Wszystkie chwyty były dozwolone: „pracowano" nogami, rękami, łokciami. Gonitwy i potyczki trwały długo. Jeśli nikt nie opatrywał rannych, bywali zadeptywani. Po każdym meczu chowano zmarłych.

Dlaczego piłka nożna przez długi czas była domeną mężczyzn?

Kobiety rzadko grywały w piłkę nożną aż do lat 20. XX w. W tym okresie z kolei ich bufiaste stroje sportowe, wymachujące w powietrzu nogi i krótkie włosy wywoływały zgorszenie. Zabroniono im więc gry w piłkę! W roku 1991 zakaz cofnięto i kobieca piłka nożna znalazła się wśród

FIFA, Międzynarodowa Federacja Piłki Nożnej, założona w 1904 roku, skupia dzisiaj 214 narodów. Piłka nożna jest najbardziej popularnym sportem świata.

Zawodnicy wyglądali jak pingwiny: z rękami wzdłuż ciała, mocno uderzając piłkę ramionami. Często doznawali obrażeń obojczyków.

dyscyplin olimpijskich. Damskie kluby piłkarskie liczą obecnie ponad 20 milionów zwolenniczek!

w piłkę, by zrelaksować się na plażach Argentyny, Brazylii i Portugalii, ale również dzięki Szwajcarom, którzy rozpowszechnili grę w Europie. W tamtych czasach podczas meczu nie wolno było chwytać piłki rękami.

Niedobra!

W jaki sposób piłka nożna rozpowszechniła się na świecie?

Dzięki angielskim marynarzom, którzy grali

NIE DO WIARY!

- W roku 1950 Indie zostały wykluczone z mistrzostw świata, ponieważ zawodnicy tego kraju grali na bosaka. W roku 1978 holenderski gracz zagrał w finale z ręką w gipsie.

Dlaczego pole przy bramce jest nazywane polem karnym?

To strefa, która zaczyna się w odległości 16,5 m od bramki. Tutaj zdarza się większość fauli i błędów. Obrońcy, widząc napastników przeciwnika, zaczynają wpadać w panikę i pozwalają sobie na niedozwolone chwyty (pociąganie za koszulkę, popychanie, podcinanie). Wtedy sędzia podejmuje decyzję

o rzucie karnym w odległości 11 m od bramki. Większość oddawanych wówczas strzałów jest celna.

Czym jest rzut wolny?

Kiedy zawodnik fauluje przeciwnika, gracz drużyny przeciwnej ma prawo oddać strzał dokładnie z miejsca, w którym popełniono faul. To rzut wolny.

Zawodnicy drużyny przeciwnej ustawiają mur w odległości 9,15 m od strzelającego, z nadzieją, że przechwycą piłkę.

W jaki sposób zawodnik znajduje się na spalonym?

Zawodnik, który za bardzo się spieszy i ustawia się przed zawodnikami drużyny przeciwnej w oczekiwaniu na piłkę, znajduje się na pozycji spalonej. Nie wolno mu wtedy przyjąć piłki. Ta zasada nie pozwala na „koczowanie" przed bramką przeciwnika w oczekiwaniu na podanie piłki. Mecz jest dużo bardziej interesujący, ale taka sytuacja powoduje często wiele zamieszania i przepychanek pomiędzy sędzią a zawodnikami.

W jaki sposób zawodnicy utrzymują piłkę?

Nie mogą zrobić przeciwnikom krzywdy, więc nauczyli się dryblować: biegają zygzakami, z piłką u nogi, by zręcznie unikać graczy drużyny przeciwnej. Istnieją bardzo chytre sztuczki, na przykład „kanał", który polega na przepuszczeniu piłki pomiędzy nogami przeciwnika i odebraniu jej tuż za nim. Kiedy gracz znajduje się w pułapce, a zewsząd otaczają go przeciwnicy, robi „przewrotkę": wyskakuje i zamaszyście podaje piłkę do tyłu, ponad głową.

Dlaczego rzut rożny jest niebezpieczny?

Kiedy obrońca wybija piłkę poza linię bramkową, wykonuje się rzut rożny: zawodnik drużyny przeciwnej ustawia piłkę

dyskusji i z racji tego, że zawodnicy mówią często różnymi językami, sędziowie posługują się gwizdkami, wskazaniem danego gracza, podniesieniem ręki na znak wstrzymania gry albo przyznawaniem kartek. Żółta kartka oznacza ostrzeżenie. Czerwona kartka albo drugi żółty kartonik to wykluczenie z gry.

Bramkarz musi zatrzymać piłkę, która nie może przekroczyć linii bramkowej, bo wtedy jego drużyna straciłaby punkt.

w rogu boiska i stamtąd strzela. Jego koledzy tłoczą się przed bramką z nadzieją na oddanie celnego strzału głową.

Dlaczego sędzia tak żywo gestykuluje?

Przed wiekiem zasady gry w piłkę nożną nie były jeszcze określone. Sędziowie wahali się przed podjęciem decyzji i zaczynali obrady pośrodku boiska. Dzisiaj, w celu uniknięcia takich

NIE DO WIARY!

● W ciągu 15 lat kariery zawodnik oddaje średnio 5000 uderzeń głową. Oznacza to, że na jego szyję spada ciężar 450 g z prędkością ponad 100 km/h. Nic dziwnego, że niektórzy starsi gracze tracą pamięć.

Wielcy piłkarze

- Ta gra o prostych zasadach ma swoich geniuszy. Podziwiane i bogate gwiazdy, żywe legendy, cieszą się ogromną sławą na całym świecie. Wśród nich są tacy piłkarze jak:

Brazylijczycy – Pelé i Ronaldo; cudowne dziecko Argentyny – Maradona; Francuzi – Platini i Zidane; Anglicy – bramkarz Gordon Banks i oczywiście David Beckham; Włoch Paolo Rossi; Hiszpan Alfredo Di Stefano z Realu Madryt; Johan Cruijff z Ajaksu Amsterdam; Eusébio – najlepszy gracz portugalski.

Dlaczego Pelé jest uznany za najlepszego piłkarza wszech czasów?

Pelé – Edson Arantes do Nascimento – biedne dziecko z brazylijskiej dzielnicy nędzy, stał się gwiazdą w wieku 17 lat, kiedy strzelił 6 goli w czasie Mistrzostw Świata w 1958 roku, a Brazylia zdobyła Puchar Świata. Sukces ten powtórzył w latach 1962 i 1970. W czasie 1364 rozegranych meczów strzelił rekordową liczbę bramek: 1281. Był bystry, uprzedzał strzały, doskonale dryblował i posyłał piłkę do bramki z ogromną prędkością. Pelé był przez 3 lata ministrem sportu w Brazylii.

Dlaczego Ronaldo zyskał przydomek „Kosmita"?

Dzięki niesamowitej prędkości i technice. Urodził się w 1976 roku w Brazylii, również w biednej rodzinie. Świat poznał go, gdy Ronaldo miał 17 lat. Obecnie uznawany jest za godnego następcę Pelégo.

W jaki sposób Platini strzelał „rogale"?

Nieśmiały Michel stał się sławny w wieku 20 lat, kiedy w trakcie jednego z meczów oddał wspaniały strzał z rzutu wolnego. Piłka kopnięta środkową częścią stopy przeleciała łukiem nad murem ustawionym przez przeciwnika i skręciwszy w nieoczekiwany dla bramkarza sposób, znalazła się w bramce.

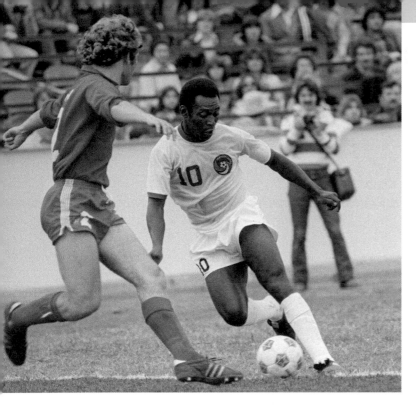

W hołdzie Pelému (przeszedł na emeryturę w 1977 roku) klub FC Santos z São Paulo, któremu Pelé pozostał wierny przez całe życie, nie przyznał żadnemu zawodnikowi koszulki z numerem 10.

bramkarza w historii. Zwany „Czarnym Pająkiem" lub „Czarną Panterą", rzucał się na piłkę w spektakularny sposób. Obronił 150 rzutów karnych, a przepuścił jedynie 100 bramek podczas 20-letniej kariery.

z takich graczy zapewniła sobie trzykrotnie Puchar Europy w latach 1974–1976.

W jaki sposób wygrywali Niemcy?

Dzięki „Cesarzowi", genialnemu obrońcy Franzowi Beckenbauerowi, który potrafił przeprowadzić ofensywę z tylnej części boiska, oraz „Bomber der Nation" Gerdowi Müllerowi, który strzelił 68 goli w 62 meczach międzynarodowych. Drużyna składająca się

W jaki sposób bronił Lew Jaszyn?

Ten wielki Rosjanin (1929–1990), ubrany zawsze na czarno, został uznany za najlepszego

NIE DO WIARY!

● Klub FC Metz odmówił angażu Platiniemu, który miał wówczas 17 lat, za powód podając „małą wydolność oddechową i niewydolność serca". To nie była chyba najlepsza decyzja...

Rugby

Rugby, sport kontaktowy, zrodził się w Anglii w XIX wieku. Zawodnicy biegają z piłką i przekazują ją sobie z rąk do rąk.

W dwóch połowach meczu, trwających po 40 minut z 10-minutową przerwą, biorą udział dwie drużyny liczące po 15 graczy. Każda z drużyn musi przyłożyć piłkę do ziemi w części boiska przeciwnika albo przerzucić ją ponad poziomą poprzeczką bramki umieszczoną 3 m nad ziemią.

W każdym z krańców boiska znajduje się pole punktowe; w środku linii bramkowej umieszczone są słupki w kształcie litery H.

W jaki sposób powstała gra w rugby?

Dzięki impertynencji angielskiego gimnazjalisty, który uznał, że futbol jest nudny. Pewnego dnia 1823 roku w trakcie meczu złapał piłkę pod pachę i na oczach osłupiałych kolegów umieścił ją w bramce. Nazwa nowego sportu wzięła się od nazwy gimnazjum, do którego uczęszczał ów buntownik: Rugby.

Z jakich zawodników składa się drużyna?

8 zawodników rozgrywających na przodzie to młynarze. Duzi, silni, potężnie zbudowani, napierają zwartym szykiem na przeciwnika i starają się odebrać mu piłkę. Za nimi stają 2 zawodnicy ataku, do których gracze ustawieni z przodu podają piłkę. To oni decydują, gdzie ją

podać dalej. 5 zawodników z tyłu to kolejni atakujący: niezwykle szybcy, w biegu podają sobie piłkę i zdobywają najwięcej przyłożeń.

W jaki sposób przechwycić piłkę?

Istnieją dwie techniki, pierwsza z nich to wyłożenie: zawodnicy z całych sił rzucają się na zawodnika, który ma piłkę, łapiąc go za nogi, w pasie albo powalając na ziemię. Wtedy zawodnik musi wypuścić piłkę, w innym przypadku popełnia wykroczenie. Kolejna technika to maul – złapanie

14

znajduje się łącznik każdej drużyny, który usiłuje przepchnąć piłkę w stronę swoich partnerów pozostających z tyłu.

Dlaczego rugby nie jest sportem dla brutali?

Dla osób silnych owszem, ale nie dla brutali. Nie wolno uderzać przeciwnika, blokować go, kiedy nie ma piłki, łapiąc go za szyję. W rugby zawodnicy nie mają specjalnych ochraniaczy, oczekuje się więc od nich postawy dżentelmenów.

zawodnika niosącego piłkę przez jednego lub więcej przeciwników. „Maul" znaczy po angielsku „szarpać". Jest z czego wybierać.

By przyłożyć piłkę do ziemi, trzeba biec z nią do krańca boiska przeciwnika, ryzykując blokadę przez graczy drużyny przeciwnej.

W jaki sposób rozeznać się w młynie?

Wszystko zależy od rodzaju młyna: w przypadku młyna otwartego zawodnicy miotają się wokół piłki, nic nie widać, panuje

kompletny chaos. Młyn zamknięty tworzy sędzia po przewinieniu. Ten młyn składa się z 8 zawodników z każdej drużyny, ustawionych ręka w rękę. W środku

NIE DO WIARY!

● 196 cm, 128 kg, mięsień na mięśniu. Czas na 100 m – 11 sekund. Nowozelandczyk Jonah Lomu – legendarny gracz All Blacks – powala każdego na swojej drodze. Od 1995 roku jest fenomenem rugby.

Futbol amerykański

- Futbol amerykański to widowiskowy sport drużynowy, który powstał na Uniwersytecie Harvarda w 1874 roku podczas wizyty kanadyjskiej drużyny rugby.

- Cel gry jest taki sam jak w rugby: przyłożenie piłki do ziemi – touchdown – albo przerzucenie piłki nad poprzeczką. Ale – w przeciwieństwie do rugby – zawodnicy mogą się blokować i przeszkadzać sobie przez cały czas, nawet wtedy, kiedy nie są w posiadaniu piłki. Futbol amerykański jest brutalnym sportem i gracze noszą ochraniacze.

Dlaczego gracze przypominają wielkie zamrażarki?

Od stóp do głów są pokryci plastikiem: ochraniacze na pośladkach, nakolanniki, ochraniacze na łydkach, ramionach, gorset na tułowiu, chroniący żebra. Sam gorset waży 2,5 kg. Mają też hełm na głowę z siatką na twarzy, piankę antyuderzeniową i ochraniacze na zęby.

Na czym polega gra?

Każda z dwóch drużyn na boisku składa się 11 graczy. Drużyna atakująca, będąc w posiadaniu piłki, ma prawo do 4 prób (downs), by przebiec 10 jardów w stronę bramki przeciwnika. Jeśli jej się uda, ma prawo do 4 kolejnych downs.

W przypadku niepowodzenia piłkę przejmuje drużyna przeciwna. Wszyscy schodzą wówczas z boiska, a zawodników ataku zastępują zawodnicy obrony albo odwrotnie. Każda drużyna składa się z 46 zawodników, w każdej chwili gotowych do wejścia na boisko.

Dlaczego piłka jest owalna?

By móc łatwiej ją chwytać i rzucać jedną ręką (druga ręka służy do okładania przeciwnika). Piłka jest owalna, tak jak w rugby, ale mniejsza i szyta. Można nią wykonywać podania

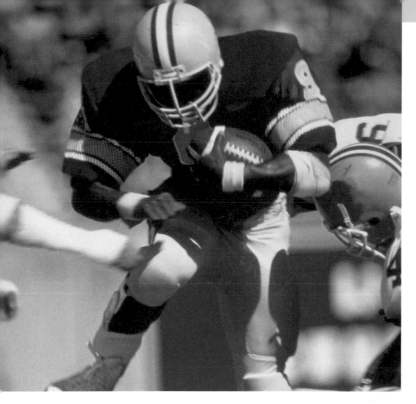

przez słońce: stąd nazwa drużyny i wojenne rysunki, które malują na twarzach.

Dlaczego na boisku są zebry?

Tak nazywa się sędziów z racji ich strojów w czarne i białe pasy. W czasie meczu na boisku jest od 4 do 7 sędziów.

podkręcone, a ona pozostaje stabilna na torze lotu. Na piłce są dwa białe pasy po to, żeby była bardziej widoczna.

„Kowboje" z Dallas, i „Olbrzymy" z Nowego Jorku, nie wspominając o „Czerwonoskórych" z Waszyngtonu. Nazwy drużyn odzwierciedlają agresywną naturę graczy. Taką modę wylansowali „Czerwonoskórzy". Uważali, że z pomalowanymi policzkami będą mniej oślepiani

Dlaczego drużyny przybierają zwariowane nazwy?

„Barany" z Los Angeles, „Byki" z Buffalo,

NIE DO WIARY!

● Gracze futbolu amerykańskiego mimo ochraniaczy odnoszą czasami poważne obrażenia. Jim Otto, gwiazda Oakland Raiders, miał 10 razy złamany nos, raz złamał szczękę i 9 razy przeszedł operację kolana.

Koszykówka

- Koszykówkę wymyślił protestancki pastor. To sport zręcznościowy i strategiczny, który wyklucza wszelką przemoc.

- Szybka i intensywna gra odbywa się w hali albo na boisku o wymiarach 28 na 15 m. Każda drużyna liczy 12 zawodników, z których 5 jest na boisku. Mecz składa się z czterech części trwających po 10 minut.

- Celem gry jest wrzucenie piłki do kosza drużyny przeciwnej. Każdy faul jest karany jednym albo kilkoma rzutami wolnymi z odległości 4 m od kosza.

Dlaczego wymyślono koszykówkę?

By zabić nudę nękającą uczniów gimnazjum Springfield w stanie Massachusetts, którzy zimą nie mogli grać ani w piłkę nożną, ani w rugby na zaśnieżonym boisku, a mieli serdecznie dosyć lekcji gimnastyki. Trzeba więc było znaleźć nowy sport, który mógłby być rozgrywany w sali. James Naismith, nauczyciel WF-u, który był też pastorem, pewnego razu zasiadł w swoim biurze i w jedną noc wymyślił koszykówkę.

Dlaczego piłka do „kosza" jest taka duża?

Celowo. Naismith chciał, żeby koszykówka była trudną, wymagającą precyzji grą. Wymyślił, że piłka będzie duża i ciężka (75–78 cm obwodu, 600–650 g wagi), a kosz malutki (45 cm średnicy) i zawieszony wysoko (3,05 m nad posadzką).

Jak zdobyć punkt?

Nie ma tu żadnej tajemnicy: trzeba wysoko skakać, by umieścić piłkę w koszu. Im wyżej, tym lepiej. Rzuty z daleka wykonuje się zza linii. Potrzebny jest wyskok, by przeszkodzić obrońcom w zablokowaniu rzutu. Rzut najbliżej kosza to wsad – najbardziej popisowy rzut w koszykówce. Wyskakuje się ponad kosz, a piłkę wbija do środka.

Dlaczego dzięki koszykówce mamy piękne sny?

W 1992 roku Amerykanie zdobyli złoty medal na igrzyskach olimpijskich w Barcelonie. Ich drużyna okazała się zespołem wszech czasów, dream teamem – „drużyną marzeń/snów". W skład zespołu wchodziły takie gwiazdy jak Michael Jordan i „Magic" Johnson. Od tej pory popularność koszykówki ogromnie wzrosła. Zrodziła się również odmiana koszykówki street basket. Drużyna składa się z 3 zawodników, zasady są nieco zmienione, a mecze rozgrywają się na ulicach przy muzyce.

Ponieważ nie można wykonać dwóch kroków z piłką w ręku, należy natychmiast przejść do podania, rzucić piłkę do kosza albo zacząć kozłowanie – odbijanie ręką piłki od ziemi.

przed każdym meczem wkładał nowe skarpetki…

Dlaczego Michaela Jordana nazwano „Air Jordan"?

Z powodu jego niezwykłego podejścia do gry, które dziesięciokrotnie uczyniło z niego króla strzelców NBA. Jordan to mistrz olimpijski z lat 1984 i 1992, bożyszcze Chicago Bulls (numer 23). Miała na to swoje sposoby:

NIE DO WIARY!

- Najwyższym koszykarzem był Libańczyk Suleiman Ali Nashnush: wzrost 243 cm. Ale nie tylko takie olbrzymy grają w koszykówkę: Tyrone Bogues (158 cm) zdobył w 1986 r. tytuł mistrza świata.

Siatkówka i piłka ręczna

- *Siatkówka, wymyślona w 1895 roku przez Williama Morgana, dawnego ucznia i przyjaciela Jamesa Naismitha, jest – podobnie jak koszykówka – grą zespołową, niekontaktową. Mecz rozgrywają dwie drużyny składające się z 6 zawodników, którzy przebijają piłkę nad siatką rękami, ramionami albo górną częścią ciała.*

- *Piłka ręczna powstała w Niemczech w 1919 roku. To mieszanka piłki nożnej i koszykówki. Gra jest bardzo popularna w Europie Północnej i Wschodniej.*

Dlaczego podczas meczu siatkówki zawodnicy zmieniają pozycje?

W siatkówce trzeba umieć wszystko: podawać, atakować, bronić. Strefa boiska każdej drużyny podzielona jest na dwie części – ataku i obrony. Przy każdej zmianie zagrywającego zawodnicy przesuwają się o jedno miejsce zgodnie z ruchem wskazówek zegara i wymieniają zadaniami.

Dlaczego siatkówka nie jest grą dla każdego?

Uważa się, że gra w siatkówkę to zabawa. Ale to nie takie proste. Siatka ma 2,43 m wysokości. Żeby wykonać dobre zagranie, trzeba umieć skakać. O dotknięciu siatki nie ma mowy – byłoby to wykroczenie. Zawodnik nie może mieć kontaktu z piłką dwa razy z rzędu ani nie może trzymać jej w ręku. Drużyna może odbić piłkę trzy razy, zanim przerzuci ją na stronę przeciwną. Nie ma ani chwili wytchnienia!

W jaki sposób odpowiedzieć na atak?

Jeśli przyjęlibyśmy piłkę opuszkami palców, tak jak w czasie podań, palce mogłyby się połamać. Należy używać przedramion złączonych przed sobą, by próbować przebicia. Bez tego nie ma co marzyć o zwycięstwie.

na końcach boiska stoją bramkarze. Piłka zagrywana jest ręką, częściami ciała znajdującymi się ponad kolanami i kozłowana jak w koszykówce. Piłka jest mniejsza niż futbolówka, tak by mieściła się w jednej ręce.

W jaki sposób zwieść bramkarza?

W odległości 6 m od bramki znajduje się półkolista linia wyznaczająca terytorium, po którym może poruszać się jedynie bramkarz. By zbliżyć się do bramki, zawodnicy skaczą ponad linią i celują do bramki z wysoka.

Ścięcie, mistrzowskie zagranie w siatkówce, to uderzenie piłki nad siatką – gwałtowne zbicie jej na pole przeciwne.

W jaki sposób gra się w piłkę ręczną?

Mecz rozgrywają dwie drużyny liczące po 7 zawodników. W bramkach

Dlaczego siatkówka plażowa jest zarezerwowana dla twardzieli?

Siatkówka plażowa rozgrywana jest pomiędzy dwiema dwuosobowymi drużynami na boisku o wymiarach 16 x 8 m. Trzeba skakać po piachu w upale.

NIE DO WIARY!

● W czasie meczu siatkówki wymiany piłki trwają po kilka sekund.

Tenis

- *Tenis powstał we Francji w XIII wieku, a w epoce odrodzenia znany był jako „król gier i gra królów". Pod koniec XIX wieku został zmodernizowany przez Anglików, którzy określili 40 zasad gry.*

- *Mecz rozgrywany jest pomiędzy dwoma (gra pojedyncza) albo czterema (podwójna, tzw. debel) zawodnikami na boisku zwanym kortem, podzielonym niską siatką. Piłka nie może wykroczyć poza granice kortu i zawsze musi zostać odbita.*

- *Kobiety rozgrywają mecz do 2 wygranych setów, a mężczyźni do 2 lub 3 wygranych setów. Sety dzielą się na gemy, a w gemach zdobywa się punkty.*

Jak powstało słowo „tenis"?

W XIII wieku we Francji, kiedy gracz dokonywał zagrywki, ostrzegał swojego przeciwnika, wołając „tenetz" („trzymaj" w dzisiejszym języku francuskim). Anglicy przejęli ten okrzyk, nadając mu angielskie brzmienie „tennis".

Skąd się wzięła rakieta?

Na samym początku piłka zagrywana była ręką. Gracze uderzali w nią dłonią, stąd nazwa „gra dłonią". Było to raczej bolesne! Pomyślano więc o wielkiej rękawicy. Następnie pokryto ją siatką, by piłka lepiej się odbijała. W końcu zrodził się pomysł wykorzystania kawałka drewna, by tworzył rączkę z obręczą, na którą naciągnięto owcze jelita. Tak powstała rakieta tenisowa.

Dlaczego pośrodku kortu rozpięta jest siatka?

Początkowo kort podzielony był na dwie części zwykłym sznurkiem. Nie było sędziego – jego rolę odgrywali widzowie przydzielający punkty. Kiedy piłka dotknęła sznurka, wybuchały niekończące się dysputy, czy piłka przeleciała pod czy nad sznurkiem. Wtedy zamontowano siatkę i wszyscy byli zadowoleni.

Jak Anglicy ponownie wymyślili tenis?

W 1874 roku angielski oficer w podeszłym wieku, Walter Clopton Wingfield, wpadł na genialny pomysł: przenośny kort tenisowy.

Pod koniec XIX wieku eleganckie damy i panowie z wyższych sfer rozgrywali partie tenisa na plażach albo łąkach.

Te piłki z kolei ślizgały się w czasie deszczowej pogody. Pokryto je więc szorstkim filcem.

Był to zestaw zawierający 4 rakiety, kilka piłek, siatkę na tyczkach do wbicia w boisko, taśmy do wyznaczania granic kortu. Tenis na trawie (lawn tennis) od razu zrobił furorę. Zasady gry ponownie określono w 1875 roku i wszyscy zaczęli uganiać się za piłką.

Jak powstają piłki do gry w tenisa?

W zamierzchłych czasach piłki robiono z trocin, z piasku bądź wełny, pokrytych baranią skórą. Anglikom przeszkadzało to niezmiernie, gdyż piłki nie odbijały się na trawie. Do ich produkcji użyli więc kauczuku.

NIE DO WIARY!

- Mistrzowie często muszą zmieniać piłki w trakcie meczu. Serwowane z ogromną siłą piłki nagrzewają się i zniekształcają. Do turnieju Roland Garros potrzeba średnio 48 000 piłek!

23

Jaki strój obowiązuje do gry w tenisa?

Im bardziej skąpy, tym lepiej! Kiedyś mężczyźni nosili białe spodnie, koszule, marynarki i słomkowe kapelusze. W roku 1933 jeden z graczy wystąpił na Wimbledonie w krótkich spodenkach. Od tego czasu tenisiści zrzucili marynarki i przestali zakładać długie spodnie. W przypadku kobiet historia jest inna: obowiązywały długie spódnice i bufiaste bluzy. W roku 1887 15-letnia Lottie Dod, która wygrała mistrzostwa na Wimbledonie, nosiła spódnicę, która nie krępowała ruchów.

Jak wygrać mecz tenisowy?

Sety składają się z gemów. Trzeba wygrać dwa lub trzy sety. Jeżeli jest remis w gemie, po 40, sędzia zarządza grę na przewagi. Kolejny punkt daje przewagę, następny

zwycięstwo w rozgrywce, chyba że ponownie nastąpi remis. Wtedy znów trzeba zdobyć przewagę. Czas meczu jest nieograniczony.

Jak wygrać seta?

Trzeba wygrać co najmniej 6 rozgrywek (gemów), mając przewagę 2 zwycięstw nad przeciwnikiem. Wynik 6:4 oznacza zwycięstwo w secie. Ale w przypadku wyniku 6:5 trzeba kontynuować grę i wygrać siódmy pojedynek. W przypadku remisu 6:6 rozgrywa się tie-break. Mecz wygrywa ten, kto wygra tę rozgrywkę, z wyjątkiem finałowego setu meczu, nazywanego setem meczowym.

Dlaczego niektórzy zawodnicy się załamują?

Mecze trwają bardzo długo i – w przeciwieństwie do piłki nożnej – nie ma

przerw. Odstęp pomiędzy rozgrywanymi piłkami nie może trwać dłużej niż 25 sekund. Sędzia podejrzewający, że zawodnik się ociąga, może go ukarać. Nic dziwnego, że niektórzy zawodnicy nie wytrzymują: w ostatnim secie, kiedy zwycięstwo praktycznie leży w zasięgu ręki, po prostu tracą siły.

Jak wygrać zagrywkę?

W pozycji stojącej, zza linii końcowej kortu, trzeba zaserwować piłkę po przekątnej w przeciwległy kwadrat boiska. Należy pamiętać o ustawieniu: nadepnięcie na linię końcową oznacza wykroczenie. Nie wolno zapominać o siatce: jeśli piłka w nią uderzy (tzw. net), serw wykonuje się ponownie. Na szczęście można próbować dwa razy. Mistrzowie potrafią serwować tak mocno, że przeciwnik nie jest w stanie odbić piłki.

Boisko tenisowe – kort – bez względu na to, czy ma nawierzchnię z trawy, ubitej ziemi, cementu czy włókien syntetycznych, musi mieć wymiary 23,77 na 10,97 m. Zawodnicy mogą używać tzw. korytarzy jedynie w przypadku gier podwójnych.

wybijana jest z podkręcenia i niespodziewanie spada w bok. Serwis amortyzowany – piłka uderzona z góry spada tuż za siatką. I lob – piłka zostaje podkręcona z dołu, by upaść na drugim końcu kortu. Zawodnik nabiega się, ale nie jest w stanie przewidzieć, gdzie upadnie piłka.

uznawane są przez sędziego za wykroczenie.

Jak zmęczyć przeciwnika?

Należy sprawić, żeby bez przerwy biegał. Wielcy tenisiści używają trzech rodzajów zagrywek: serwis podkręcony, inaczej uderzenie po koźle – piłka

Jak podpaść sędziemu?

Wystarczy… się powściekać, rzucić rakietą o ziemię, przeklinać, znieważyć sędziego – wówczas można zostać zdyskwalifikowanym. Rzucenie piłką w przeciwnika, rzucenie rakietą w stronę piłki, dotknięcie siatki albo odebranie piłki, zanim pojawi się w polu,

NIE DO WIARY!

● Najszybsza piłka tenisowa została wybita z serwu przez Amerykanina Andy'ego Roddicka w roku 2004 z prędkością 249 km/h.

Wielkie turnieje tenisowe

- 4 najsłynniejsze turnieje tenisowe rozgrywane na świecie to: Wimbledon (zapoczątkowany w 1877 roku), Roland Garros, nazywany też French Open (1925), US Open (1881) i Australian Open (1900). Razem tworzą Wielki Szlem, o którego wygraniu marzą wszyscy zawodnicy.

- O prestiżowy Puchar Davisa walczy 16 drużyn z 16 krajów. Odbywa się co roku w kraju, z którego pochodzi ubiegłoroczny zwycięzca, i rozgrywany jest w 4 grach pojedynczych i jednej podwójnej.

Jak powstał turniej na Wimbledonie?

Po raz pierwszy turniej ten został rozegrany w 1877 roku w Wimbledonie, 15 km od Londynu, na leżącym odłogiem polu pomiędzy torami kolejowymi a drogą. Mecze obserwowało kilku gapiów, a jedynie dwóch widzów zdecydowało się zapłacić za oglądanie meczu finałowego. Po paru dniach rozgrywki przerwano, by ustąpić miejsca zawodnikom grającym w krykieta – sport dla widzów w tych czasach bardziej atrakcyjny.

Dlaczego US Open jest tak krytykowany?

Odbywa się pod koniec sierpnia w Nowym Jorku na stadionie Flushing Meadows, dawnym bagnie położonym obok lotniska. Hałas startujących samolotów, wilgotny upał i brak dyscypliny wśród kibiców rozpraszają rozgrywających. Korty zbudowane są z decoturfu – najlepszej wylewanej nawierzchni akrylowej, która zwiększa swobodę ruchów graczy.

Dlaczego Australian Open jest mniej znany od innych turniejów tenisowych?

Z powodu nieznośnego upału. Odbywa się w styczniu, w środku australijskiego lata, na syntetycznych kortach, za którymi gracze nie przepadają: nie można się po nich ślizgać i łatwo

W roku 1900 Davis ufundował puchar dla kraju, którego drużyna wygra zawody tenisowe.

Dlaczego zwycięski kraj otrzymuje Puchar Davisa?

Puchar Davisa powstał w 1900 roku z inicjatywy amerykańskiego mistrza Dwighta Filleya Davisa. Nikt nie chciał wyłożyć pieniędzy na ten cel, więc Davis wręczył pierwszym zwycięzcom ogromną srebrną, pozłacaną, ważącą 7 kg salaterkę, którą dostał w prezencie ślubnym!

poranić kolana. Turniej odbywa się w Melbourne, na korcie Flinders Park. Jedyny plus: w przypadku deszczu kort może być zadaszony

kortów). To miękka nawierzchnia, po której można się bezpiecznie ślizgać. Ale piłki są na niej wolniejsze, a punkty zdobywa się ciężej Trzeba dużo biegać, być wytrzymałym, uzbroić się w cierpliwość i być ogromnie skoncentrowanym.

Dlaczego turniej Roland Garros uchodzi za najtrudniejszy?

Boiska są z ubitej ziemi, mieszanki wapnia i cegły (stąd czerwony kolor

NIE DO WIARY!

Zwycięzców, którzy wygrali 4 turnieje Wielkiego Szlema w jednym roku, można policzyć na palcach jednej ręki. Od 1970 roku udało się to jedynie Steffi Graf i Serenie Williams.

Badminton i ping-pong

• *Sporty rozrywkowe, które powstały w Anglii i rozpowszechniły się na całym świecie, są trudniejsze, niż się powszechnie sądzi. Niezbędne są tu szybkość, koncentracja i refleks.*

• *Badminton rozgrywany jest za pomocą lotki i długiej, lekkiej rakiety na boisku z wysoko umieszczoną siatką. Ping-pong, zwany tenisem stołowym, rozgrywany jest krótką rakietką i bardzo lekką piłeczką na małym stole, podzielonym na dwie części niską siatką.*

Dlaczego różnica leży w odbiciu?

W ping-pongu nie można odebrać piłki w locie. Można odbić ją dopiero wówczas, gdy odbije się od stołu – w przeciwnym razie zawodnik traci punkt. W badmintonie wręcz przeciwnie – nie czeka się, aż lotka dotknie ziemi, tylko odbija od razu. Kto uwierzy w to, że badminton jest prekursorem squasha i peloty – najszybszych i najbardziej wyczerpujących sportów?

Dlaczego dziewczyny lubią lotki?

Lotka jest lepsza od piłeczki – nie toczy się i nie trzeba biegać za nią zbyt daleko. W XVI wieku kobiety wymyśliły grę z korkiem od butelki z ptasimi piórami i drewnianym tłuczkiem służącym do odbijania tej lotki.

Jak rozpowszechnił się badminton?

Gra w badmintona otrzymała swą nazwę w 1873 roku od posiadłości angielskiego oficera, Badminton House. W czasie jednej z imprez gospodarz chciał pokazać gościom, w jaki sposób gra się w poona, indiański sport uprawiany od ponad 2000 lat z rakietką i piłeczką z ptasich piór. Oficer miał rakietkę, ale nie miał piłeczki. Zamiast niej wziął korek od szampana i wbił w niego gęsie pióra. Lekcja (i butelka) bardzo się spodobały...

Kiedyś rakietki do gry w tenisa stołowego były gładkie z obu stron. Wymiany były dłuższe i bardziej monotonne. By zaostrzyć grę, rakietkę pokryto kauczukiem. Szorstka strona rakietki pozwala na zwalnianie piłeczki, a gładka strona na jej przyspieszanie. Gra jest przez to znacznie trudniejsza, ale dużo bardziej zabawna.

Dziwne miny, które robią zawodnicy grający w ping-ponga, są efektem ogromnej koncentracji.

producent zabawek zastrzegł nazwę. Sportowcy musieli wówczas pogodzić się z oficjalną nazwą – tenis stołowy.

Nadano mu tę nazwę w końcu XIX wieku z racji śmiesznego odgłosu, który wydawała piłeczka odbijająca się od stołu i rakietki. Ale sprytny

NIE DO WIARY!

● W badmintonie lotka może lecieć z prędkością 300 km/h! To prawie tyle, co w pelocie baskijskiej, sporcie, w którym piłka lata z największą prędkością.

Squash i pelota

Obie gry pochodzą od starej „gry dłonią", „jeu de pomme". Squash i pelota mają te same zasady: należy odbijać piłkę w stronę muru i odbić ją, zanim znów dotknie podłoża. Ale na tym podobieństwa się kończą.

Squash rozgrywany jest przez 2 zawodników na zamkniętym korcie, długą rakietką i miękką kauczukową piłeczką. Pelota rozgrywana jest przez dwóch zawodników albo grupami po 2 lub 3 osoby, często na otwartym terenie, na dużym ograniczonym od 1 do 4 ścianami boisku. Twardą i cięższą piłkę rzuca się ręką, rakietką (pala albo paleta) lub rękawicą z trzciny – chisterą.

Jak powstał squash?

Pod koniec XVIII wieku w londyńskim więzieniu więzień Robert Macket wymyślił grę, w której rzucało się piłką o ścianę celi. Po wyjściu z więzienia został mistrzem.

Dlaczego zawodnicy grający w squasha są zawsze zlani potem?

Squash jest jednym z najszybszych i najbardziej wyczerpujących sportów.

Teren jest mały, kauczukowa piłeczka skacze tam i z powrotem z ogromną prędkością (rekord to 242 km/h). Pomiędzy dwoma wymianami czas odpoczynku nie może przekroczyć 10 sekund. Zawodnicy opóźniający grę są karani.

Dlaczego piłka do gry w squasha oznaczona jest kropkami?

Istnieją 4 kategorie piłek do squasha, w zależności od szybkości odbicia, wynikające z ich sprężystości. Kolorowy punkt oznacza kategorię, do której należy piłka. Żółty to kategoria bardzo wolna, biały – wolna, czerwony – szybka, niebieski – bardzo szybka. Do wyboru, do koloru.

od mamy, aby odbić piłkę. Tak powstała chistera. Tym wygiętym koszykiem można manipulować jak rękawicą, co pozwala odbijać piłki jeszcze szybciej. Stąd powstała cesta-punta – najbardziej spektakularna forma peloty, która rozpowszechniła się na świecie i widowiskowo otwiera igrzyska olimpijskie.

Grający w pelotę baskijską odbija piłkę o ścianę za pomocą chistery – skórzanego bijaka przedłużonego trzcinowym uchwytem.

Dlaczego w pelocie liczy się siła?

W tej grze nie liczy się precyzja, wystarczy odbić piłkę tak, żeby przeleciała ponad metalową poprzeczką mieszczącą się 80 cm nad podłożem i uderzyła w przednią ścianę o wysokości 10 m. Piłka odskakuje z taką siłą, że czasami odbija się jeszcze od tylnej albo bocznej ściany.

W jaki sposób kosz z owocami może zmienić całe życie?

Początkowo w pelotę grało się gołą dłonią. Bandażowano ją, by nie uległa obrażeniom w trakcie gry. W roku 1857 jakiś nastolatek wpadł na pomysł zastosowania wiklinowego kosza, który dostał

NIE DO WIARY!

● W pelocie baskijskiej piłka może osiągnąć prędkość 305 km/h. Taki był najsilniejszy rzut we wszystkich dyscyplinach sportowych.

Baseball

- *Baseball wymyślili przed 4000 lat Egipcjanie i Majowie. Na początku była to prosta gra w zbijanego, znana dzieciom. Uprawiana w XIX wieku na ulicach Nowego Jorku i Bostonu, w roku 1846 stała się amerykańskim sportem narodowym. W roku 1992 została dyscypliną olimpijską.*

- *Gra zręcznościowa, niekontaktowa i nieograniczona w czasie, rozgrywana jest przez dwie 9-osobowe drużyny, w 9 rundach meczowych zwanych innings. W każdej rundzie drużyny grają na przemian jako „uderzająca" i „w polu".*

Jak przebiega gra?

Celem gry nie jest strzelanie bramek – nie ma bramki ani kosza – tylko zdobycie przewagi czasowej. Zawodnik uderzający należący do drużyny atakującej powinien jak najdalej odbić piłkę rzuconą przez miotacza. Podczas gdy gracze obrony są zajęci zdobywaniem piłki, zawodnik uderzający ma czas obiec boisko, próbując wymknąć się przeciwnikom. Zdobywa 1 punkt, jeśli cało i zdrowo powróci do pozycji wyjściowej.

W jaki sposób zostać dobrym miotaczem?

Miotacz należy do grupy obrońców. Jego zadanie jest kluczowe: powinien wyrzucić piłkę w taki sposób, żeby zawodnik uderzający nie mógł w nią uderzyć. Jeśli nie uda mu się trzykrotnie uderzyć piłki, zostaje wyeliminowany z gry. Miotacz musi przesłać piłkę dokładnie pomiędzy kolano a pachę zawodnika. Najszybsze piłki przesyłane są z prędkością 160 km/h (gołą ręką). Niektóre piłki są podkręcane i zmieniają tor w trakcie lotu.

Jak uzyskać home run?

Uderzający uzyskuje *home run*, kiedy pośle piłkę tak daleko, że w czasie jej lotu jest w stanie obiec boisko i powrócić do punktu wyjściowego, zwanego bazą domową. Najwięksi mistrzowie są w stanie posłać piłkę poza teren boiska, do kibiców, a nawet poza stadion, tak że obrońcy nie są w stanie jej odnaleźć.

W baseball grają silni i postawni zawodnicy.

Dlaczego uderzający ma ochroniarza?

Osobnik w ochraniaczach pozostający za uderzającym to nie ochroniarz, tylko odbierający, który również należy do obrony. Jego zadanie polega na odbieraniu piłek, których nie zdołał odbić uderzający. Jego pozycja jest niezwykle niebezpieczna. Przed uderzeniem w twarz chroni go ogromny kask z siatką. Gestami palców, za plecami uderzającego, przekazuje drużynie znaki. Jest strategiem obrony.

W jaki sposób zatrzymać uderzającego?

Zadanie to nie należy do prostych. Uderzający biega pomiędzy bazami. Kontakt fizyczny jest zabroniony. Nie wolno podstawiać nóg ani uderzać piłką (co

było kiedyś dozwolone). Obrońcy muszą zdobyć piłkę i biec z nią do baz, zanim przebiegnie miotacz. Jeśli im się to uda, uderzający zostaje wyeliminowany z gry. Po trzech wykluczeniach uderzających drużyna atakująca przechodzi do obrony (i odwrotnie).

NIE DO WIARY!

- 188 m – najdalej wyrzucona piłka.
- 162,3 km/h – piłka wyrzucona z największą prędkością.

Krykiet

By zająć się czymś wieczorami, angielscy pasterze w XII wieku wymyślili zajęcie lepsze od liczenia owiec: zabawiali się, odbijając kamień albo szyszkę laską, by umieścić ją pod taboretem znajdującym się w wejściu do owczarni. Długi, zakrzywiony kij pasterski nazywał się „cric". Stąd nazwa gry.

- Średniowieczna gra o niejasnym pochodzeniu w XIX wieku stała się angielskim sportem narodowym.

- Boisko do gry ma owalny kształt, na środku pola znajduje się utwardzony pasek ziemi o długości 20 m. Na obu końcach paska znajdują się bramki. Celem batsmana (odbijającego) jest obrona własnej bramki, która znajduje się za nim. Obrona polega na odbiciu piłki uderzonej przez wysyłającego. Batsman wysyła piłkę jak najdalej i biegnie pomiędzy dwiema bramkami, by zdobywać punkty.

Dlaczego krykiet miał coś wspólnego z modlitwą?

Za pierwsze bramki posłużyły kościelne taborety, na których klękali modlący się...

Dlaczego mecze trwają tak długo?

Każdy gracz obrony musi wykonać serię 6 rzutów, a każdy zawodnik z ataku kolejno odbija piłkę. Po zakończeniu serii wszystko rozpoczyna się od nowa, gdyż drużyny zamieniają się rolami. I tak 9 razy. Pomiędzy każdą serią jest 10-minutowa przerwa, są przerwy na obiad, na herbatę i na odświeżenie się. Mecz może trwać kilka godzin. Anglicy są chyba zwariowani...

Jak odróżnić dobrego batsmana od kiepskiego zawodnika?

Dobry batsman wysyła piłkę tak daleko, że przekracza ona granice boiska i nie można jej odnaleźć.

Nie udało się na nie wejść. W końcu piłkę zestrzelono.

Dlaczego zagubione piłki są nie dla wszystkich?

Podczas gdy obrońcy szukają piłki, batsman ma czas, by przebiec z jednej bramki do drugiej. Rekord liczby biegów, czyli maksymalna zdobyta liczba punktów, wyniósł 286. Piłka zakleszczyła się w konarze drzewa.

To tzw. lost ball, czyli stracona piłka. Zły zawodnik niszczy własną bramkę w chwili, gdy uderza piłkę (nie ma się z czego śmiać!) albo usiłuje zablokować piłkę nogą lub inną częścią ciała – zachowanie niegodne dżentelmena.

NIE DO WIARY!
Najdłuższy mecz w historii, nazwany niekończącym się, odbył się pomiędzy drużynami z Anglii i RPA. Został przerwany dziesiątego dnia, ponieważ statek, którym przypłynął jeden z zespołów, musiał odpłynąć.

Golf

- Ojczyzną golfa są Holandia i średniowieczna Szkocja, gdzie grę rozgrywano zwykłym kijem i kamieniem. Stopniowo udoskonalana, oficjalnie narodziła się 14 maja 1754 roku, w dniu, w którym spisano jej 34 zasady. Sport rozgrywany na łonie natury przeżywa dzisiaj niezwykły rozkwit.

Na piłce znajdują się małe wgłębienia. Jest ich około 400! Dzięki temu piłka leci bardziej miękko i daleko. Od około 100 lat piłkę wytwarza się z twardego kauczuku. Przedtem robiło się ją ze skóry i wypełniało piórami, przez co była bardzo delikatna.

trasę. Są w niej ukryte zagłębienia, strumyczki, bagna, przeszkody w formie dołów z piachem zwane bunkrami, z których bardzo trudno się wydostać. Strefę tę otaczają zarośla wysokiej trawy (rough), z której można już nigdy nie wybrnąć. Aż strach pomyśleć...

- Zawodnik uderza kijem w małą piłeczkę ustawioną na podstawce – tee – w stronę dołka. Teren do gry w golfa liczy 18 dołków i mierzy około 6 km. Celem gry jest przemierzenie terenu z jak najmniejszą liczbą odbić.

Dlaczego przemierzenie pola golfowego jest wyczynem?

Pomiędzy początkowym tee a green – obszarem z bardzo krótko skoszoną trawą z wyciętym dołkiem – zawodnik grający w golfa musi zmierzyć się z wieloma przeszkodami. Zwłaszcza jeżeli nie ma się na baczności przed fairway – strefą krótko skoszonej trawy, która tworzy główną

Dlaczego dzięki grze w golfa tańczymy?

W golfie każdy ruch to swingowanie – zamach, poruszający 13 części ciała w chwili uderzania piłeczki. Najpierw trzeba nauczyć się dobrze trzymać ręce na rączce kija: to grip. Następnie zawodnicy trenują na specjalnym terenie. Kiedy gracz potrafi już wybijać piłkę, może zamaszyście przemierzyć teren do gry w golfa.

Panowie grający w golfa.

Dlaczego profesjonalny gracz w golfa nigdy nie rozstaje się ze swoim *caddie*?

Caddie to osoba, która nosi wyposażenie i jest gotowa służyć graczowi poradami w trakcie gry. Każdy zawodowy gracz ma swojego oddanego *caddie*. Taką nazwę przyjęły też wózki.

W jaki sposób uskrzydla się piłki?

Trudność każdego dołka jest określona liczbą uderzeń niezbędnych do wbicia piłeczki – to liczba „par". Kiedy zawodnik wbije piłeczkę do dołka liczbą uderzeń o jedno mniejszą niż przewidywany par, mówimy, że zdobył wynik par minus jeden na dołku, co Anglicy nazywają małym ptakiem. Z dwoma uderzeniami mniej wykonał tzw. orła, czyli wynik par minus dwa na dołku, a przy 3 uderzeniach mniej – tzw. albatrosa, czyli wynik par minus trzy na dołku. Piłki lecą średnio z prędkością 250 km/h.

NIE DO WIARY!

● Tiger Woods, najsłynniejszy zawodnik grający w golfa, rozpoczął grę w wieku 2 lat. W wieku 3 lat kończył grę z wynikiem 9 dołków z 48 uderzeniami.

Gry w kule

- *W kule grano już w Egipcie w 5200 roku przed narodzeniem Chrystusa. Grali też Rzymianie, twórcy „świnki". Grano wszędzie w średniowiecznej Europie i w okresie odrodzenia z takim zapałem, że królowie zabronili gry z obawy, iż ludzie przestaną pracować.*

- *Istnieją dwa rodzaje gry: pierwszy z nich polega na rzuceniu kuli jak najbliżej celu, zwanego małą kulką – inaczej świnką. Druga gra polega na przewróceniu kijów. Ta gra dała początek amerykańskiemu bowlingowi – kręglom – w 1847 roku.*

Dlaczego mówimy, że Francuzi wbijali gwoździe?

Pod koniec XVIII wieku w Lyonie zapoczątkowano nowy sposób gry w kule: zawodnicy stali na wąskim polu o długości 27,5 m i musieli rzucić kulami w przeciwległy róg. Żeby to osiągnąć, wyrzucali kule w powietrze po zrobieniu 6 kroków rozbiegu. Prawdziwie ciężka praca, zważywszy, że lyońskie kule ważyły do 1,3 kg. Dzisiejsze kule są metalowe, a w tamtych czasach były drewniane, z powbijanymi dla wzmocnienia gwoździami. Stąd powiedzenie o wbijaniu gwoździ.

On pochodzi z Lyonu.

Jak mieszkańcy Prowansji wymyślili grę w kule?

Najpierw przejęli grę lyończyków, upraszczając ją: do gry nadawał się każdy teren, a zawodnicy robili tylko 3 kroki rozbiegu od małego kółka narysowanego na ziemi. Jest to gra prowansalska. W 1907 roku w La Ciotat w Marsylii jeden z bardziej leniwych graczy zdecydował się na rzut bez rozbiegu, spokojnie, stojąc ze złączonymi nogami w środku koła. Złączone nogi to po prowansalsku „pés tanqués" – stąd nazwa gry – petanka.

Dlaczego należy dokonać wyboru pomiędzy rzucaniem a celowaniem?

Czasami chcemy oddalić kulę przeciwnika, która nam przeszkadza, i powiedzieć: „Idź stąd, chcę tu ustawić moją kulę". Natomiast w przypadku celowania piłkę wyrzuca się łukowato po to, żeby delikatnie spadła i znalazła się obok świnki.

Jak zostać mistrzem gry w kręgle?

10 kręgli stoi na końcu o 19-metrowego toru o szerokości 1,5 m. Aby zwyciężyć, lepiej skupić się na dokładnym rzucie kulą po narysowanych liniach, zamiast na celowaniu w kręgle. Przewrócenie wszystkich kręgli w jednym rzucie to *strike*. Kula waży do 7,25 kg. Uwaga na palce!

O...! Podczas gry w kule, kiedy jeden z zawodników wykonuje rzut, pozostali konkurenci i widzowie nie mogą się odzywać.

Jak produkuje się kule do gry?

Słynna metalowa kula pojawiła się dopiero w 1927 roku. Powstała w wyniku wycięcia małych cylindrów w sztabce metalu, rozgrzanych do temperatury ponad 1000°C, zmiażdżonych 800-tonowymi prasami i zespawanych w kształt kuli. Solidność kuli jest testowana

za pomocą wyrzutni, która wyrzuca kulę z prędkością 300 m/h, ciskając nią o ścianę. Nasze słabe ramiona chyba nie potrafiłyby podołać takiej kuli.

NIE DO WIARY!

● Kręgle to po piłce nożnej najczęściej uprawiany sport na świecie. Każdego dnia odbywa się 10 milionów rozgrywek na 260 000 torów na całym świecie.

39

Bilard

- *Bilard powstał w XV-wiecznej Francji, początkowo jako sport rozgrywany na powietrzu, na trawnikach. Kiedy w roku 1469 wynaleziono stół do gry w bilard, gra przeniosła się do wnętrz.*

- *Istnieją trzy rodzaje bilardu: bilard francuski jest rozgrywany na stole z 3 bilami (kulami): białą, białą z czarnym punktem i czerwoną. Bilard amerykański (pool), który powstał na początku XX wieku, jest rozgrywany 15 różnokolorowymi bilami na stole z 6 łuzami (kieszeniami). Bilard angielski, znany jako snooker, powstał w 1875 roku i jest rozgrywany 21 bilami.*

Dlaczego w bilard gra się na zielonym stole?

Bilard narodził się około 1430 roku i grano w niego na trawie. Gra, bardzo podobna do krykieta, polegała na wbiciu bili za pomocą kija z zakrzywionym końcem pomiędzy odpowiednio ustawione słupki, zwane strzelnicą (przyczółkiem).

Dlaczego Francuzi są adeptami karamboli?

W 1770 roku palik, który służył za cel, zastąpiono czerwoną kulą zwaną karambolem. Zniknął zakrzywiony koniec kija. Narodził się współczesny francuski bilard. Rozgrywany jest pomiędzy dwoma zawodnikami: jeden ma białą bilę, drugi bilę z czarnym punktem. Celem gry jest karambol, czyli dotknięcie czerwonej bili i bili przeciwnika w jednym uderzeniu. Zawodnik, który wykona najwięcej karamboli, wygrywa pojedynek.

Dlaczego w bilard gramy prostym kijem?

Początkowo rozgrywano bilard kijem w kształcie krzyża, zwanym maczugą, z zakrzywioną końcówką

Pod koniec XVIII wieku grę w bilard rozgrywano jeszcze topornymi kijami z zakrzywionym końcem.

Dlaczego gra w snooker jest taka nerwowa?

Bilard angielski został wymyślony przez oficera, który chciał poddać próbie młodych rekrutów zwanych snookersami. Gra polega na wbiciu 15 czerwonych kul a następnie 6 kolorowych zgodnie z rosnącą punktacją oznaczoną na bilach: żółta bila – 2 punkty, zielona bila – 3 punkty itd. Nie wolno robić żadnych odstępstw od tej zasady.

w kształcie łyżeczki. Ten prymitywny przyrząd stopniowo wydłużano i szlifowano. Odcięto masywną głowę i zachowano sam kij o długości 1,30 m.

W jaki sposób Amerykanie grają w bilard?

W amerykańskim bilardzie gracze wolą wbijać bile, niż bawić się w karambole. Oznacza to, że muszą wbić bile do 6 łuz znajdujących się wokół stołu. Jest 15 różnokolorowych bil ponumerowanych od 1 do 15 i jedna biała,

którą uderza się pozostałe bile. Wbita bila przynosi zawodnikowi od 1 do 15 punktów, w zależności od oznaczenia. Bila nr 8 musi zawsze zostać wbita jako ostatnia.

NIE DO WIARY!

● Służący króla Ludwika XIV opisuje w swym pamiętniku, że władca w wieku 15 lat ledwie umiał czytać, ale za to świetnie grał w bilard. Później wyznał: „Po co czytać? Gra w bilard jest dużo bardziej pasjonująca!".

Lekkoatletyka

- Słowo „atletyka" pochodzi od greckiego „athlos" i oznacza walkę. Lekkoatletyka obejmuje 46 dyscyplin szybkościowych, zręcznościowych i siłowych – kobiecych i męskich.

- Dyscypliny lekkoatletyczne są podzielone na podstawowe konkurencje: biegi, skoki, rzuty i chód – sprint, sztafety, bieg przez płotki, biegi długodystansowe, średniodystansowe, chód, maratony, skoki w dal, wzwyż, skoki o tyczce, rzuty dyskiem, młotem i oszczepem.

Jak wystartować o czasie...

Sprinterzy opierają stopy o specjalne podpórki zwane blokami startowymi. Używa się ich od 1928 roku. Przedtem zawodnicy musieli robić w ziemi dołki i ustawiać w nich stopy, które w czasie deszczu całkowicie tonęły w błocie.

...i dobiec do mety?

Przekroczenie linii mety mierzy się na poziomie piersi biegaczy. Dlatego pod koniec biegu wyginają oni plecy do tyłu. Ale nie za bardzo, żeby nie stracić równowagi.

Dlaczego zawodnicy startujący w sztafetach podają sobie ręce?

Tak naprawdę zawodnicy nie podają sobie rąk, tylko przekazują pałeczkę o długości 30 cm. Żeby nie zwalniać biegu, przechwytujący pałeczkę wyciąga rękę do tyłu i zaczyna bieg, zanim partner mu ją poda.

Przejęcie pałeczki od góry nazywane jest amerykańskim, od dołu francuskim. Jeśli pałeczka upadnie, zawodnicy są zdyskwalifikowani.

Dlaczego bieg z przeszkodami na 3000 m może skończyć się kąpielą?

Ten wyczerpujący bieg na 3 km polega na pokonaniu siedmiu i pół okrążeń stadionu oraz (za każdym razem) pięciu przeszkód: 4 płotków i jednego, za którym jest rów z wodą. Jeśli zawodnik nie

Jest to dokładna odległość dzieląca zamek królowej brytyjskiej – która podczas igrzysk olimpijskich w 1908 roku chciała obserwować otwarcie biegu ze swojego balkonu – od mety.

Dlaczego zając przegrywa zawody?

W biegu długodystansowym na 5–10 km najważniejsza jest wytrzymałość. Stwierdzono, że zawodnik, który prowadzi w biegu, najszybciej się męczy. Zatrudnia się więc „zająca", który biegnie na czele tak długo, jak tylko to możliwe, po to żeby uczestnicy mogli podążać za nim i zachować do końca rytm biegu.

Bloki startowe są podłączone do elektronicznego systemu, który wychwytuje falstarty. Dopuszcza się jedynie jeden falstart w danym biegu. Kolejne falstarty powodują dyskwalifikację zawodnika, który się tego dopuścił.

Dlaczego dystans maratonu wynosi 42,195 km?

Często sądzi się, że chodzi o odległość dzielącą Maraton od Aten, którą pokonał młody żołnierz, przyniósłszy Grekom wiadomość o zwycięstwie nad Persami w 490 roku przed narodzeniem Chrystusa. To jednak nieprawda.

przeskoczy rowu, wpada do wody. Można się zranić, ale o utopieniu nie ma mowy – rów ma zaledwie 70 cm głębokości.

NIE DO WIARY!
● Grek Dimitrion Yordanis zasłynął jako najstarszy maratończyk. Zakończył bieg w Atenach w 1976 roku po 7 godzinach 36 minutach, a miał 98 lat! Najlepsi kończą bieg w 2 godziny...

43

Dlaczego chodziarze kołyszą się jak kaczki?

Spróbujmy pomaszerować, a zobaczymy, że chód olimpijski nie jest wcale łatwy. Jedna stopa musi zawsze utrzymywać kontakt z podłożem i trzeba oprzeć się chęci podbiegnięcia. By szybciej przemierzać dystans, zawodnicy idą, poruszając biodrami. Nie ma się co śmiać: w taki sposób przemierzają 50 km w morderczym tempie 15 km/h.

Dlaczego sportowa kula przypomina kulę armatnią?

Dyscyplina pchnięcia kulą powstała w XV wieku, wraz z wynalezieniem kul armatnich. Żołnierze bronili się, miotając je gołymi rękami. Kula jest wykonana z metalu i waży 7,26 kg dla mężczyzn, a 4 kg dla kobiet. By dobrze pchnąć kulą, trzeba przycisnąć ją do szyi i podtrzymywać jedynie czubkami palców. Stąd powiedzenie: „Miotacze powinni mieć brudną szyję i czyste ręce".

Dlaczego trzeba mieć się na baczności przed ostrzem oszczepu?

Oszczep jest bardzo lekki (800 g dla mężczyzn i 600 g dla kobiet). To jedyna dyscyplina, w której rzuca się po rozbiegu (35 m). Zawodnik rzuca oszczepem na 100-metrowe boisko, a oszczep może zmienić kierunek lotu przy najmniejszym podmuchu wiatru. Biada widzom: mogą zostać przeszyci na wylot!

W jaki sposób zgiąć tyczkę?

Na tym polega cała trudność skoku o tyczce. Kiedy tyczka jest zgięta, zawodnik może wykonać wysoki wyskok. Przed 100 laty tyczki były robione z drewna orzecha albo jesionu i zakończone metalową końcówką. Wybór był prosty: albo skok, albo nabicie na pal. Dzisiaj tyczki wykonane są ze szklanego włókna, dzięki czemu są dużo lżejsze. Ale do ich wygięcia potrzeba sporej siły.

Dlaczego uczestnicy skoku w dal robią dziwne gesty?

Podczas skoku zawodnicy wykonują wymachy ramionami, pedałują stopami. Pozwala im to długo pozostać w powietrzu, a więc oddać daleki skok. Odmianą skoku

Dysk dla mężczyzn waży 2 kg i jest rzucany na odległość przekraczającą 74 m. Dla kobiet ma wagę 1 kg i leci na odległość około 76 m.

Dlaczego rzut młotem odbywa się z koła otoczonego siatką ochronną?

Dla bezpieczeństwa widzów. Młot waży 7,26 kg dla mężczyzn lub 4 kg dla kobiet i składa się z kuli i linki zakończonej rączką. By rzucić młotem, miotacz chwyta rączkę, trzykrotnie zatacza młotem nad głową, a następnie obraca się z maksymalną prędkością wokół własnej osi, zanim rzuci. Młot upada w odległości ponad 80 m.

w dal jest trójskok, w którym sportowiec wykonuje 3 skoki z odbicia na desce. To taka ulepszona gra w klasy, gdyż zawodnik ląduje 18 m dalej!

NIE DO WIARY!

● Rekord świata w skoku w dal to 8,95 m, co odpowiada skokowi nad dwoma samochodami ustawionymi jeden za drugim. Rekord został ustanowiony w 1991 roku przez mistrza Mike'a Powella.

45

Słynni lekkoatleci

- *Mistrzowie lekkoatletyki przesuwają granice ludzkich możliwości, prezentując kolejne wyczyny. Oto sportowcy, którzy na trwałe zapisali się w historii sportu.*

- *W sprincie i skoku w dal prowadzą Amerykanie. Jesse Owens (1913–1980), Carl Lewis, Michael Johnson to wielcy lekkoatleci.*

- *Rekord rzutu młotem należy do Rosjanina Jurija Siedycha – wynik 86,74 m.*

- *Od 1960 roku, kiedy to Etiopczyk Abebe Bikila wygrał maraton, biegnąc bez butów, wciąż mistrzami maratońskimi są szczupli Afrykańczycy o żelaznych nerwach.*

Dlaczego Jesse Owens jest wzorem dla wszystkich mistrzów?

Na igrzyskach olimpijskich w Berlinie w 1936 roku, pod okiem nazistowskiego dyktatora Hitlera, czarnoskóry amerykański atleta zdobył 4 złote medale i ustanowił rekord świata w skoku w dal. Rok wcześniej pobił 6 rekordów świata w ciągu godziny – to wynik, którego nikt nigdy nie powtórzył.

Dlaczego mistrzowie postępują według własnego widzimisię?

Trenerzy powtarzają: żeby szybko biegać, trzeba stawiać długie kroki, nie być zbyt wysokim, by nie stawiać oporu wiatrowi. Ale spójrzmy na Carla Lewisa – 9-krotny zdobywca złotego

medalu jest wysoki jak tyczka, ma 188 cm. Michael Johnson, podwójny bohater, zwycięzca biegu na 200 i 400 m jest nazywany „Statuą", gdyż stawia małe kroki w wyprostowanej pozycji.

W jaki sposób mamy objawiają swoje talenty?

Jedną z największych mistrzyń lekkoatletyki była ładna Holenderka Fanny Blankers-Koen. Matka dwójki dzieci ustanowiła 7 rekordów świata, a na igrzyskach w 1974 roku jako pierwsza przekroczyła linię mety na dystansach 100, 200, 4 x 100 m i w biegu z przeszkodami. Nazwano ją „Latającą Gospodynią Domową".

Siergiej Bubka z Ukrainy jest królem skoku o tyczce. Dzięki żelaznym ramionom udawało mu się zginać najbardziej twarde tyczki, przez co skakał coraz wyżej. W roku 1984 skokiem na wysokość 5,81 m ustanowił pierwszy rekord świata. Rok później w Paryżu przeskoczył poprzeczkę na wysokości 6 m ku zdumieniu publiczności.
W roku 1997 skoczył 6,14 m – to jego 35. rekord.

Lekkoatleci rozgrzewają się przed wyjściem na bieżnię, dzięki czemu biegną potem z maksymalną prędkością i pokonują dystans 100 m w czasie krótszym niż 10 sekund.

na 5000 m, 10 000 m i maraton.

Dlaczego trzeba się mieć na baczności przed lokomotywami?

Czech Emil Zátopek, syn robotnika, został nazwany „Czeską Lokomotywą". Trenował w wojsku, a w 1952 roku wygrał w odstępie kilku dni biegi

NIE DO WIARY!

• Od 2004 roku Etiopczyk Kenenisa Bekele jest mistrzem długodystansowców. Przebiegł 5 km w czasie 12 minut 37 sekund, a 10 km w czasie 26 minut 17 sekund!

Gimnastyka

- *Powstała w starożytnej Grecji. Następnie uprawiali ją średniowieczni linoskoczkowie, potem zaś została powtórnie odkryta pod koniec XVIII wieku. To sztuka i sport, gdzie liczą się wdzięk i inicjatywa.*

- *W gimnastyce sportowej istnieje 6 konkurencji dla mężczyzn i 4 żeńskie.*

- *Gimnastyka rytmiczna, gimnastyka akrobatyczna, gimnastyka grupowa to nowoczesne odmiany gimnastyki.*

Dlaczego nie jest wstydem uprawianie gimnastyki bez ubrania?

Początkowo uprawiano ją w stroju Adama. Pojęcie „gimnastyka" pochodzi od greckiego słowa „gumnos", oznaczającego „nagi". Dla Greków gimnastyka polegała na prostych ćwiczeniach rozgrzewających, zanim zaczynali biegi albo walkę na pięści. Nie była uznawana za osobną dyscyplinę sportową.

Dlaczego poręcze należą do trudnych dyscyplin?

W gimnastyce istnieje wiele rodzajów poręczy: stałe, równoległe, asymetryczne. Poręcze równoległe są ustawione na wysokości 1,75 m. Inne poręcze mogą być ustawione wyżej: 2,55 m to

królowa męskiej gimnastyki – poręcz stała. Uwaga na zawroty głowy! Trzeba wykonać wiele obrotów i puścić poręcz co najmniej czterokrotnie – inaczej nie zaliczymy konkurencji.
Kobiety nie mają wyboru: zostały im tylko poręcze

asymetryczne. Pierwsza ustawiona jest na wysokości 2,35 m nad ziemią, druga – 1,55 m. Przerwa pomiędzy nimi wynosi 1,40 m. Niech żyje woltyżerka!

Ćwiczenia na
podłożu odbywają się
na specjalnym dywanie
o powierzchni
12 m^2, zwanym matą.
Składa się ona z dwóch
warstw drewna pokrytych
kostkami elastycznego
syntetycznego mchu.

*Gimnastyk opiera ręce na łękach,
wykonuje figury na całej długości
przyrządu (1,6 m).*

i przemieszczać się z końca
w koniec, skacząc na rękach
i poruszając nogami.

W jaki sposób obchodzić się
z koniem z łękami?

Znowu koń, ale tym razem
z dwoma metalowymi
uchwytami: to koń z łękami.
Gimnastyk, opierając na nich
ręce, musi wykonać obroty
nogami i nożyce nad koniem
bez dotykania go. Musi
wykorzystać długość całego
przyrządu

NIE DO WIARY!
● Najlepsze gimnastyczki
są małe i lekkie. Rumunka
Nadia Comăneci w wieku
lat 14 wygrała igrzyska
olimpijskie w 1976 roku,
zdobywając 3 złote medale
i siedmiokrotnie uzyskując
najlepszą notę 10 punktów.

49

Ćwiczenia ze wstążką są najpopularniejszą dyscypliną gimnastyki artystycznej i sportowej. Niezbędna jest tu świetna koordynacja.

Dlaczego kółka należą do trudnych dyscyplin?

Zawodnik zawieszony na wysokości 2,75 m nad podłogą powinien kołysać się do tyłu, dwukrotnie obrócić ze stopami w powietrzu i co najmniej przez 2 sekundy pozostać całkowicie nieruchomo, ze skrzyżowanymi rękami, a przy wykonywaniu ćwiczeń na równoważni – z ciałem w pozycji poziomej. Nie mogą poruszać się nawet linki, na których zawieszone są kółka.

Mam dosyć, powiem wszystko!

No dobrze!

Dlaczego równoważnia jest nazywana prawdziwym gimnastycznym egzaminem?

Do wykonywania skoków potrzeba niesamowitej siły,

a szpagaty robi się na równoważni o 10-centymetrowej szerokości. Inną trudność stanowi fakt, że do ćwiczeń należy wykorzystać całą długość przyrządu – 5 m – bez zachwiania równowagi.

Dlaczego zachwycamy się gimnastyką artystyczną?

Ta dyscyplina sportowa zarezerwowana dla dziewcząt jest bliższa tańcom niż akrobatyce. Zawody odbywają się przy muzyce. Zawodniczki muszą wykonywać figury baletowe z różnego rodzaju przyrządami: skakanką, obręczą, wstążką, piłką albo maczugami.

Dlaczego trampolina jest dyscypliną sportową?

Skoki na trampolinie o długości 25 m i szerokości 1,5 m zaliczamy do

gimnastyki akrobatycznej – sportu, który powstał w Ameryce. Obecnie przemierza cały świat szybkim krokiem, a raczej skokiem...

Dlaczego w gimnastyce grupowej tworzy się piramidy?

W tej dyscyplinie zawodnicy „budują" wysokie piramidy, jedni wspinają się na drugich w bardzo wyrafinowany sposób.

Pojęcie akrosportu pochodzi od greckiego słowa „akros", które oznacza „wyniesiony" albo „krańcowy".

W jaki sposób powstała trampolina?

W amerykańskim cyrku w 1920 roku akrobata, któremu nie udało się wykonać trapezu, odbił się, unikając dotkliwego upadku. Dwaj oglądający sportowca widzowie wpadli na pomysł wyprodukowania trampoliny.

NIE DO WIARY!

● W roku 1981 Jeff Schwartz skakał na trampolinie bez przerwy przez 11 dni, 2 godziny i 9 minut. Dotąd jeszcze nikt nie pobił tego rekordu.

Sporty siłowe

- *Od starożytnych czasów wielcy atleci walczyli ze sobą albo podnosili ciężary. Są to sporty wymagające pracy wielu mięśni, ale również zwinności i koordynacji ruchów. Uprawiają je także dziewczęta, odnosząc przy tym znaczne sukcesy.*

- *Podnoszenie ciężarów zawsze było dyscypliną zarezerwowaną dla siłaczy. Pierwsze zawody w tej konkurencji przeprowadzono na olimpiadzie w 1896 roku.*

- *Zapasy to walka bez ciosów. Celem jest powalenie przeciwnika i utrzymanie go na macie w pozycji leżącej. Istnieją zapasy grecko-rzymskie i wolne. Sumo to zapasy japońskie.*

Dlaczego w sumo wygrywa potężniejszy zawodnik?

Celem sumo jest wypchnięcie zawodnika poza matę, w kole o średnicy 4,55 m. Dozwolone są wszystkie chwyty: podstawianie nogi, kuksańce, duszenie. Wygrywa siła i waga, a nie zręczność. Najwięksi zapaśnicy ważą około 270 kg i są bożyszczami Japonii.

Jak się podnosi ciężary?

Albo się je rwie, albo wyciska. Trudniejsza jest technika rwania: polega na podniesieniu sztangi jednym ruchem i umieszczeniu jej nad głową. Wyciskanie jest wykonywane w 2 etapach: najpierw opiera się sztangę na ramionach, a potem unosi ją i usztywnia łokcie.

Dlaczego ciężarowcy noszą paski?

Ciężarowcy nie boją się o spodnie tylko o kręgosłup. Noszą więc kostium i pasek na lędźwiach, by mieć proste plecy w trakcie ogromnego wysiłku.

Dlaczego zapaśnicy „robią mostki"?

W zapasach wygrywa ten zawodnik, który przechytrzy przeciwnika techniką albo

Najlepsi ciężarowcy podnoszą
około 260 kg, co odpowiadałoby
podniesieniu nad głowę
na przykład krowy.

**Dlaczego zapaśnicy nie mają
sznurówek w butach?**

Obcinają je, by nie zrobić
krzywdy przeciwnikowi.
Wstydem byłoby poranienie
go zwykłym sznurowadłem.

rozłoży rywala na łopatki.
Nazywamy to powaleniem.
Ale przeciwnik próbuje
„zrobić mostek", opierając
się głową o podłoże,
by oderwać od niego jedno
z ramion.

dwa rodzaje zapasów:
suche i mokre.
Olbrzymy namaszczają
ciała i kostiumy oliwką, by
były śliskie, co dodatkowo
utrudnia chwyty.

Dlaczego Turcy są śliscy?

Turcy są mistrzami
w podnoszeniu ciężarów.
Są też bardzo dobrzy
w zapasach. W Turcji istnieją

NIE DO WIARY!

● 1616 kg:
Amerykanka
Josephine Blatt
uniosła taki ciężar
na plecach
w roku 1895.

Boks

Boks, który bierze swe początki ze starożytnego pięściarstwa, jest jednym z najstarszych i najbardziej prymitywnych sportów. Przez długi czas walki były uznawane za nielegalne, ale w 1862 roku angielski dżentelmen zmienił boks w szlachetną dyscyplinę, określając 12 reguł gry.

Pojedynek bokserski rozgrywany jest na ringu. Dzieli się na rundy trwające po 3 minuty. Pomiędzy rundami obowiązuje minutowa przerwa. Dozwolone są jedynie ciosy powyżej pasa, z przodu, z boku ciała i twarzy (zabronione są ciosy w szyję i plecy).

Zawodnik powalony na deski na 10 sekund zostaje uznany za znokautowanego.

W jaki sposób Grecy i Rzymianie walczyli na pięści?

Walczono nago. W czasie walki zawodnicy mieli na sobie grube rzemienie z ołowianymi kulkami, które powodowały straszne rany. Na początku naszej ery chrześcijanie, przeciwni przemocy, zabronili takich walk.

Dlaczego ring nie jest okrągły?

Po angielsku „ring" znaczy koło. Dawniej widzowie ustawiali się w kole wokół bokserów i trzymali sznur, który wyznaczał pole walki. W chwili przybycia policji wszyscy rozpierzchali się, jak gdyby nigdy nic. Później miejsce walki przyjęło formę kwadratu, ale z przyzwyczajenia wciąż jest nazywane ringiem.

Dlaczego zawodnik wagi muszej nie może walczyć z zawodnikiem wagi koguciej?

W boksie zawodowym jest 17 kategorii wagowych. Oto kilka z nich: papierowa, musza, kogucia, lekka, średnia, ciężka. W wadze papierowej zawodnik nie może przekraczać 48 kg, w wadze muszej musi mieścić się w przedziale 48–51 kg, w koguciej 51–54 kg i tak dalej... Kategorie te ustalono w 1862 roku, żeby uniknąć niesprawiedliwych pojedynków.

Kiedyś zawodnicy nie zakładali rękawic i doznawali poważnych obrażeń. Żeby mniej cierpieć, przed meczem zanurzali ręce w węglanie sodu! Każda z rękawic waży 227–284 g. Jest ciężka, ale dobrze amortyzuje uderzenia. By lepiej się bronić, zawodnicy bandażują ręce. Do jednego meczu zawodnik może zużyć 5,6 m bandaża!

Na początku XIX wieku bokserzy toczyli pojedynki gołymi rękami na placu, którego granice wyznaczał sznur. W tym czasie walki były oficjalnie zabronione.

to raczej rzadkość. Najczęściej zawodnik wygrywa na punkty. Sędziowie (jest ich od 2 do 5) obserwują walczących i pod koniec każdej rundy przyznają zawodnikom punkty. Po meczu punkty są podliczane – wygrywa zawodnik, który zdobył ich więcej.

W jaki sposób wygrywa się mecz bokserski?

Mecz można wygrać poprzez nokaut, ale

NIE DO WIARY!

● Najdłuższy pojedynek świata trwał 110 rund, czyli 7 godzin i 19 minut, i zakończył się remisem. Najkrótszy trwał jedynie sekundę i zakończył się nokautem.

Jak trenuje bokser?

By doskonalić uderzenia i silne ciosy, zawodnik trenuje na wiszącym worku, zwanym punching ball. Mimo angielskiej nazwy sprzęt ten nie został wymyślony przez Anglików, tylko przez starożytnych Rzymian, którzy trenowali na workach z piaskiem. Bokser dużo biega i skacze na skakance, by podnosić sprawność nóg.

Dlaczego mecz kończy się czasami rezygnacją jednego z zawodników?

Niektórzy zawodnicy przyjmują uderzenia i nie upadają, ale są kompletnie otumanieni. To bardzo niebezpieczny stan, który może doprowadzić do śpiączki. Kiedy zachodzi taka sytuacja, trener decyduje o przerwaniu meczu:

informuje sędziego o swojej decyzji, rzucając na ring mokry od potu ręcznik, którym ociera zawodnika w czasie przerw.

Jak powalić przeciwnika?

Żeby być dobrym bokserem, nie wystarczy po prostu uderzać, trzeba robić to dobrze i w odpowiedniej chwili. Cios bezpośredni jest ciosem prostym – służy do otwarcia gardy przeciwnika. Kiedy zawodnik zbliży się już do rywala, może zadawać ciosy sierpowe, skierowane na policzek, lekko zgiętym ramieniem, uderzać hakiem – krótkim ciosem z dołu ku górze w brodę i zakończyć

atak ciężkim ciosem, który prowadzi do nokautu.

Dlaczego bokserzy czasami się przytulają?

Pod koniec meczu zawodnicy są tak zmęczeni, że nie wiedzą, co robią. Czasami wpadają sobie w objęcia, ale nie są to czułości, a raczej krótki odpoczynek. Jeśli taka sytuacja trwa zbyt długo, sędzia rozdziela ich,

krzycząc „break", co oznacza przerwę. Bokserzy robią krok do tyłu i ponownie zaczynają walkę.

Dlaczego Francuzi wolą boks francuski?

Na początku XIX wieku Francuzi nie boksowali pięściami, tylko nogami. W północnej części kraju nazwano to boksem francuskim, w południowej –

Boks, w którym można walczyć nogami i rękami, zwany kick boxingiem, powstał w Stanach Zjednoczonych w latach 70. XX wieku. By uprawiać tę dość gwałtowną dyscyplinę, trzeba mieć na sobie ochraniacze.

Uderzenia są niezwykle gwałtowne i szybkie. W celu uniknięcia ciosu zawodnik może położyć się na ringu i podstawić nogę przeciwnikowi: wszystkie ciosy dozwolone.

...butem. Około 1850 roku ustanowiono boks francuski. Uderzenia następują tu na przemian rękami i nogami. Ten rodzaj boksu jest mniej gwałtowny niż jego angielska odmiana –

Dlaczego boks tajlandzki jest najbardziej niebezpieczny?

Bokserzy uderzają pięściami i stopami, ale również łokciami i piszczelami. Mają gołe nogi, noszą opaskę na głowie i naramienniki, które podkreślają bicepsy. Pojedynek odbywa się przy muzyce.

...punkty zdobywa się raczej poprzez dotknięcia niż uderzenia.

NIE DO WIARY!

● Archie Moore jest zdobywcą 2 rekordów: liczby nokautów, których zadał w swojej karierze (131), i tytułu najstarszego mistrza świata – był królem ringu do 46. roku życia.

Sztuki walki

- *Sztuki walki to około 30 technik walk, które powstały w Japonii i Chinach. Najsłynniejsze z nich – karate, judo i kung-fu – podbiły cały świat. Techniki te opracowali średniowieczni mnisi i samurajowie, czyli wojownicy służący u możnych, walczący białą bronią (kendo) albo wręcz, aby móc kontynuować walki po rozbrojeniu (karate, aikido, judo).*

- *Wszystkie sztuki walki wywodzą się z filozofii życia opierającej się na panowaniu nad sobą samym i poszanowaniu bliźniego. Nigdy nie wykorzystują brutalnej siły.*

Jak przebiega pojedynek karate?

Walka trwa 3 minuty (w przypadku kobiet 2 minuty). Jest intensywna, gdyż każdy atak trzeba zablokować albo go uniknąć i natychmiast gwałtownie odeprzeć. Ataki muszą być skierowane jedynie na głowę i tors przeciwnika, szybko, ale bez uderzeń (jeśli zawodnik zada cios, zostaje zdyskwalifikowany).

Dlaczego jeśli chcesz pokazać pazurki, powinieneś wybrać kung-fu?

Kung-fu to sztuka walki wymyślona przez mnichów ze słynnego klasztoru Shaolin dla obrony przed hordami złodziei. Mnisi nie należeli do dobrze zbudowanych mężczyzn.

Kung-fu to raczej forma bliskiej walki, w której liczy się szybkość i zręczność. Atakuje się, naśladując zwierzęta: pokazując pazury jak tygrys, skacząc jak leopard, uderzając jak żuraw.

Dlaczego karateka krzyczy w czasie ataku?

Słynny okrzyk „kiai", zwany zabójczym krzykiem, służy do uwolnienia energii i wykorzystania całej siły w chwili ataku.

KIAÏ !

Kendo znaczy „droga miecza". Cios jest zadawany drewnianym mieczem, pojedynek trwa od 3 do 5 minut.

Dlaczego ninja nie są takimi bohaterami, za jakich uchodzą?

Tak naprawdę ninja byli złymi najemnikami, opłacanymi do zabijania ludzi. Działali nocą, zamaskowani, powalali ofiary bez walki, posługując się trucizną albo zadając cios nożem w plecy. Stworzyli ninjutsu: sztukę walki potajemnej.

Przypominają bohatera „Gwiezdnych Wojen" – Dartha Vadera. Kiedyś pojedynek kończył się śmiercią jednego z zawodników. Dzisiaj przybrał formę szermierki. To najbardziej popularny sport w Japonii.

Dlaczego uprawiający kendo wyglądają jak bohater „Gwiezdnych Wojen"?

Kendo to walka na miecze, która liczy ponad 1600 lat. Walczący ubrani są na czarno, mają czarny kask z siatką na twarzy, czarne watowane rękawice i czarne sięgające aż do stóp tuniki.

NIE DO WIARY!

● Karatecy ćwiczą, rozbijając cegły gołymi rękami. Rekord należy do Fina, który jednym uderzeniem rozbił 11 cegieł ustawionych jedna na drugiej.

Judo

- *Judo to sztuka walki, w której, by zwyciężyć silniejszego i cięższego przeciwnika, wykorzystuje się jego siłę. Stąd nazwa dyscypliny: droga do zwinności ("ju" – zwinny, "do" – droga).*

- *Dyscyplina praktykowana zarówno przez kobiety, jak i mężczyzn cieszy się niezwykłą popularnością w Europie.*

- *W przypadku mężczyzn pojedynek trwa 5 minut, u kobiet – 4 minuty. Rozgrywany jest na gąbczastej macie, w granicach kwadratu o boku 8–10 m.*

- *Poziom każdego judoki określa kolor pasa: od białego, przez żółty, pomarańczowy, zielony, niebieski, brązowy aż do czarnego i – w wyjątkowych przypadkach – czerwonego.*

Jak wygrać pojedynek judo?

Istnieją 3 sposoby wygranej: trzymanie, czyli powalenie przeciwnika na plecy szybkim chwytem – tzw. ippon. Sędziowie przyznają wówczas 10 punktów i ogłaszają natychmiastowe zwycięstwo. Można również unieruchomić przeciwnika na 30 sekund (to naprawdę długo). Ostatnia możliwość to wycofanie się z walki dzięki dźwigni (aj, boli!) lub duszeniu...

Dlaczego w judo zawodnicy są tacy zwinni?

W judo nie brakuje szybkich akcji. Nigdy nie wolno uderzyć przeciwnika w twarz, ale można zastawić mu przejście, złapać za szyję, rzucić się na niego, przerzucić przez ramię, uderzyć w biodro, powalić poprzez podstawienie nogi i zmieść z powierzchni maty tak, żeby przekoziołkował. To bardzo widowiskowa dyscyplina, choć nie wymaga herkulesowej siły. Wszystko zależy od zachowania równowagi.

Jak zostać mistrzem judo?

Brzmi to dziwnie, ale najważniejszą rzeczą jest umiejętność upadania – z odpowiednią amortyzacją. Jeśli zawodnik jest naprawdę zdolny, może wypróbować tzw. japoński upadek albo rzut poświęcenia: trzeba chwycić przeciwnika za szyję i przerzucić go nad sobą w chwili, gdy się upada.

Judoka nosi strój zwany judogą, który składa się z długiego kimona i bawełnianych spodni. Płótno jest grube i solidne, żeby nie rozerwało się w czasie chwytów wykonywanych przez przeciwnika.

Dlaczego judo podoba się słabszym?

Wynalazca dyscypliny był małym, wątłym człowiekiem, który w wieku 17 lat ważył 48 kg przy wzroście 150 cm. Pewnego dnia miał po prostu dosyć prawa silniejszego i postanowił pokonać przeciwnika przy „minimum wysiłku z maksimum wydajności" – takie jest kredo judo.

Dlaczego judocy są mistrzami ukłonów?

W sali ćwiczeń (dojo) nie można wykonać żadnego ruchu bez ukłonu. W chwili wejścia do sali należy się ukłonić, przy przeciwnika. Ostatni ukłon trzeba oddać przy zejściu z tatami. Całe ciało odczuwa te wszystkie skłony…

wejściu na matę (tatami) uklęknąć przed stojącym nauczycielem, a pod koniec treningu pozdrowić

NIE DO WIARY!

● Dla japońskich judoków poddanie się jest takim dyshonorem, że zdarza się, iż wolą dać się udusić, niż przyznać do przegranej.

Szermierka

- *Sztuka szermierki zrodziła się wśród Francuzów i Włochów w okresie odrodzenia, ale jej początki sięgają prymitywnych walk starożytnych gladiatorów.*

- *Pojedynek w szermierce zwany jest natarciem. Rozgrywany jest na wąskiej, długiej macie, za pomocą szpady, floretu albo szabli. Broń trzyma się tylko w jednym ręku. Druga ręka nie może przeszkadzać w pojedynku.*

- *Pojedynek szermierki jest rozgrywany w trzech trzyminutowych rundach. Wygrywa ten, kto pierwszy wykona 5 pchnięć. Od 1896 roku szermierka mężczyzn jest dyscypliną olimpijską. Kobiety staczają olimpijskie pojedynki od 1924 roku.*

Dlaczego szermierz jest ubrany jak kosmonauta?

By uniknąć ran. Nosi maskę z cienką siatką, przez którą wszystko widzi, ochraniacz na szyję w postaci kołnierza, długie rękawice i metalowy plastron ochronny. Biały strój ułatwia widoczność: to bardzo ważne, ponieważ ciosy zadawane są co 1/10, a nawet 1/20 sekundy.

Dlaczego w czasie pojedynku zapalają się lampki?

Pod strojami zawodnicy mają zamontowany system drucików, zupełnie jak roboty. Kiedy tylko zostają dotknięci przez przeciwnika, impuls elektryczny powoduje wyświetlenie punktu na tablicy.

Dla sędziów to jedyny sposób dokładnego liczenia punktów.

Dlaczego szermierka należała do mrocznych dyscyplin?

Pojedynki rycerzy w średniowieczu i szlachty w epoce odrodzenia zawsze kończyły się krwawo. Walczono mieczami i tak ciężkimi obustronnymi szpadami, że trzeba było trzymać je obiema rękami. Szermiercza szpada to pozostałość epoki; jest ciężka, trudna do prowadzenia, a ciosy mogą być zadawane na całym ciele, w tym w głowę i stopy. Dzisiaj ostrze szpady jest trójkątne.

Pchnięcie oznacza technikę walki. Najbardziej znane pchnięcia to atak podstawowy z nogą wysuniętą naprzód – *fente* i atak z biegu – *flèche*. Niektórzy szermierze mają własne, niespodziewane pchnięcia. Zwane są ciosami Jarnaca, słynnego szermierza, który w 1547 roku zranił swojego przeciwnika uderzeniem w nogę, podczas gdy zwyczaj nakazywał uderzać w serce lub twarz.

Żeby być dobrym szermierzem, trzeba mieć refleks i umieć się koncentrować, być zwinnym i mieć mocny charakter.

kawałek skóry, żeby szpada nie mogła zranić. Przypominała wtedy kwiat: łodygę z pączkiem. Nazwano ją floretem od francuskiego słowa „fleur" – kwiat. Floret jest precyzyjną bronią, a ciosy zadaje się w górną połowę ciała, do pasa.

Skąd wzięła się nazwa floret?

Na początku XVII wieku na szpady zakładano muchę – mały okrągły

Strzelanie

- Człowiek strzelał z łuku przez tysiące lat – polował i walczył. W XIV wieku łuk został wyparty przez broń palną. Przypomniano sobie o nim zaledwie przed wiekiem. Strzelanie z łuku jest dyscypliną olimpijską od 1972 roku.

- Przy strzale z łuku celem są tarcze znajdujące się w sali w odległości 18–25 m, a na powietrzu w odległości 30–90 m.

- Broń ogniowa pojawia się w Japonii w XII wieku. W roku 1466 Szwajcarzy utworzyli pierwszy klub strzelecki.

- Celem strzelania sportowego jest osiągnięcie w jak najkrótszym czasie z ograniczonym zapasem amunicji jak największej liczby ruchomych celów, znajdujących się w odległości 10–300 m od oddającego strzał.

Dlaczego współczesne łucznictwo różni się od strzałów oddawanych przez Robin Hooda?

Łuki w dawnych czasach były proste i wykonane z drewna. Strzały leciały szybko, ale sam strzał nie był precyzyjny. Współczesny łuk jest wykonany z włókien szklanych i wyposażony w wiele dodatków: celownik, stabilizatory przypominające anteny, dzięki którym łuk zachowuje

stabilność podczas strzału i pochłania wibracje, oraz podstawkę na strzały.

Jak trafiać do celu?

W łucznictwie trzeba mieć sokoli wzrok, zdolność koncentracji, doskonałe panowanie nad sobą i umiejętność utrzymania broni w bezruchu. Kluczowym momentem jest sam strzał. Cięciwę napina się, podpierając ręką brodę. Przy puszczeniu cięciwy gest musi być identyczny: ręka cofa się za szyję. Wtedy strzała poleci prosto, a nie w bok.

Dlaczego kusza to taka śmieszna „strzelba?"

To broń strzelecka składająca się z łuku z kolbą. Cięciwę napina się na hak, a ręką wyprostowuje ją i puszcza. Do kuszy nie stosuje się prawdziwych strzał, tylko bełty o długości 30 cm. Ich zasięg to prawie 200 m, a do celu można mierzyć niezwykle precyzyjnie.

Potarcie o strzałę lub cięciwę może zranić łucznika. Na ramieniu nosi on bransoletkę – karwasz, a na palcach specjalny ochraniacz w postaci rękawicy albo osłony.

Jak strzela się z pistoletu?

W kolbie znajduje się magazynek z 7–15 nabojami, które można kolejno wystrzelić. Dyscyplina polega na wystrzeleniu 60 nabojów, seriami po 5, do 5 chybocących się celów w kształcie sylwetek ustawionych w odległości 25 m. Zawodnik ma około 5 sekund na oddanie jednego strzału.

To broń używana przez Wilhelma Tella. Przebił nią jabłko na głowie syna.

urządzenie, które nadaje im tor lotu podobny do lotu ptaka. Strzelby mogą być jedno- lub dwulufowe. Ładowane są nabojami, po 32 g każdy. Myśliwi używają tej broni do polowania na drobną zwierzynę.

Jak grać w ball trap?

To nie jest zabawa w kule, tylko dyscyplina strzelecka. Polega na strzelaniu do glinianych dysków o 10-milimetrowej grubości. Są one wyrzucane w powietrze parami przez

NIE DO WIARY!

● Footbaw, najlepszy z łuków, strzela na odległość 1,8 km. Trzyma się go oburącz i podtrzymuje nogami. Rekord w łucznictwie klasycznym to 1,1 km.

Sporty samochodowe

Te sporty powstały po 1890 roku – w chwili wynalezienia silnika spalinowego z zapłonem iskrowym przez Daimlera, i pierwszego samochodu na benzynę w roku 1891 przez Peugeota. Istnieje kilka rodzajów zawodów. Najsłynniejsze z nich to Formuła 1 i jej 16 grand prix. Grand prix to wyścig na czas na torach wyścigowych. Na starcie staje 26 samochodów.

Rajdy wytrzymałościowe rozgrywane są w czasie 8,12 lub 24 godzin na torze. Startują w nim drużyny, w których za kierownicą kolejno zasiadają 3 zawodnicy. Zwycięzcą zostaje ten, kto pokona największy dystans w wyznaczonym czasie. Rajd przeprowadzany jest w terenie. Składa się z kilku etapów. Biorą w nim udział dwuosobowe drużyny.

Jak działał pierwszy samochód?

Pierwszy samochód został wymyślony w roku 1770 przez Francuza Josepha Cugnota. Był to trzykołowy pojazd, który ciągnął za sobą ogromny kocioł na wodę, podgrzewany drewnem i węglem. To monstrum nazwano ciągnikiem na parę. Poruszał się z zabójczą prędkością 3,6 km/h – w tempie piechura.

Dlaczego samochody Formuły 1 mają taki nietypowy kształt?

Żeby jechały jak najszybciej. Karoseria jest aerodynamiczna, stateczniki z przodu i z tyłu zapewniają lepszą przyczepność do podłoża. Kierowca znajduje się w kubełkowym siedzisku, ukształtowanym anatomicznie. Kierownica montowana jest dopiero, kiedy kierowca usiądzie, co pozwala na lepsze wykorzystanie miejsca.

Dlaczego samochody Formuły 1 mają takie szerokie opony?

Po pierwsze opony wykonane są z bardzo grubej gumy po to, by mniej się ścierały. Po drugie służą do stabilizacji samochodu na wirażach. Po trzecie nie są wciśnięte pod samochód, tylko wystają ze wszystkich stron, by szybciej ulegały schładzaniu w kontakcie z powietrzem i nie stanęły w ogniu.

Dlaczego zawodnicy walczą o czołową pozycję?

Wyprzedzanie innych podczas wyścigu jest

Podczas grand prix każda słynna marka samochodowa ma prawo do wystawienia 2 samochodów na linii startowej.

z tyłu przy bandzie, czwarte z boku, i tak dalej...

jak wyglądał pierwszy wyścig samochodowy?

Pierwszy taki wyścig odbył się w 1895 roku. Przebiegał na trasie Paryż–Bordeaux–Paryż, na dystansie 1200 km, na gruntowych, źle utrzymanych drogach. Wzięło w nim udział 7 samochodów parowych, 1 elektryczny (już wtedy!) i 16 bolidów na ropę, w tym panhard prowadzony przez Émila Levassorre'a, który wygrał wyścig w czasie 8 godzin 48 minut, jadąc ze średnią prędkością 24 km/h.

Czołową pozycję zajmuje samochód usytuowany w pierwszej linii, przy bandzie (na brzegu wewnętrznym toru), drugie miejsce znajduje się po jego prawej stronie, trzecie niezwykle trudne. Na dwa dni przed wyścigiem zawodnicy walczą o *pole position* w próbach czasowych, dzięki którym startują w określonej kolejności. Najszybsi ustawiani są na przednich miejscach startowych, najwolniejsi z tyłu. Na każdej linii są 2 samochody.

NIE DO WIARY!

● Rekord prędkości osiągnął na pustyni w roku 1997 samochód wyposażony w 2 silniki Rolls-Royce'a. Trzymajmy się mocno, żeby nie wypaść: 1229,11 km/h!

Dlaczego amerykańskie wyścigi są takie widowiskowe?

Amerykańskie tory są krótkie (od 1 do 4 km), szerokie i owalne: wiraże są łatwiejsze i kierowcy częściej wyprzedzają. Amerykanie uwielbiają oglądać wyścigi samochodów, które migają im przed oczami (z prędkością 250–350 km/h) na torze, gdzie każdy wyprzedza jak tylko może. Stłuczki gwarantowane! Bolidy tylko przypominają zwykłe samochody, są wyposażone w silnik Ferrari. Nazywa się je „Indy cars" – od nazwy słynnego wyścigu w Indianapolis.

Dlaczego zawodnicy są zapięci pod szyję?

Kombinezony wyposażone są w specjalne podpinki bezpieczeństwa, które w przypadku pożaru samochodu zapewniają zawodnikowi 50-sekundową ochronę przed ogniem. Wewnątrz ogniotrwałego i niełamliwego kasku jest przycisk, który uruchamia awaryjny system napowietrzania, żeby zawodnik mógł oddychać mimo dymu.

W jaki sposób przebiega rajd?

Zaczyna się okrążeniem na zwykłej asfaltowej drodze. Następnie jest seria specjalnych odcinków na trudnych trasach: na wąskich ścieżkach, z wirażami wzdłuż stromych wąwozów, na pustyniach albo w górach, na zaśnieżonych i oblodzonych drogach. Najsłynniejszy rajd odbywa się w Monte Carlo. Organizowany jest od 1911 roku i rozpoczyna się w Alpach, a kończy się na ciasnych zakrętach Monaco.

Dlaczego załogi rajdowe są dwuosobowe?

Jedna osoba jest kierowcą, a druga pilotem. Pilot siedzi obok i wydaje się, że czyta i ucina sobie pogawędkę, jednak odgrywa bardzo ważną rolę: studiuje książkę, która opisuje przebieg trasy metr po metrze, i wskazuje kierującemu przeszkody i zakręty.

Dlaczego gokart nie jest zabawką dla dzieci?

Gokart to mały 4-kołowy samochód bez karoserii, skrzyni biegów i hamulców.

Rajd Dakar odbywa się od 1978 roku. Jest to rajd etapowy, którego trasa ma 1000 km długości i prowadzi po bezdrożach. W trakcie poszczególnych etapów nie tankuje się benzyny ani nie można korzystać z pomocy mechaników. Biorą w nim udział samochody terenowe, ciężarowe i motocykle.

autostrady, gdzie bolidy mogą mknąć z prędkością 400 km/h. Od 1923 roku, daty powstania wyścigu, wygrana w nim jest marzeniem każdego kierowcy. Do wyścigu stają wszystkie słynne marki: Porsche, Jaguar, Mercedes, Ferrari i inne...

Dlaczego 24-godzinny wyścig w Le Mans jest najsłynniejszym wyścigiem na świecie?

Wąska droga z zakrętami, mgła, deszcz za dnia i w nocy oraz szaleni kierowcy jadący z prędkością 200 km/h. Poza tym trasa wyścigu obejmuje 2 km

Wystarczy nacisnąć pedał, by ruszyć, i zdjąć nogę z pedału, by zwolnić. Ale nie jest zabawką: osiąga prędkość 80–100 km/h. Pierwszy gokart został wymyślony w 1945 roku przez amerykańskiego pilota, który próbował zespolić koła swojego samolotu z silnikiem kosiarki.

NIE DO WIARY!
● W chwili zdobycia szóstego tytułu mistrza świata Michael Schumacher pobił w 2003 roku rekord Juana Manuela Fangio z 1957 roku. W 2004 roku ponownie stanął na podium.

Kolarstwo

- *Rower wyścigowy, terenowy, country-bike, city-bike – do wyboru dla wszystkich jeżdżących, którzy mogą obrać sobie trasę: wiejską, miejską, tor kolarski, terenową. To najbardziej popularny sport amatorski.*

- *Rozróżnia się wyścig jednodniowy pomiędzy dwoma miastami na dystansie 200–300 km (taki jak na przykład Paryż–Roubaix) i wyścig etapowy oraz czasówkę. Na torze istnieją bardzo różne dyscypliny: sprint, wyścigi średniodystansowe, wyścig kolarski. Obecnie rozwój przeżywają cyclo-cross, bicross i wyścigi terenowe.*

Jak poruszał się prototyp roweru?

W 1817 roku drezyna miała koła, ale nie miała pedałów. Żeby się przemieszczać, trzeba było odpychać się od ziemi stopami. W roku 1861 François Michaut wpadł na pomysł dodania pedałów, ale przyczepił je do przednich kół. W chwili hamowania kierujący pojazdem spadał. W roku 1886 Anglik James Starley zamocował pedały na tylnym kole i wymyślił pierwszy rower.

Jak powstał rower górski?

Rower ten wymyślili w 1970 roku hipisi, buntownicy z długimi włosami, którzy lubili przebywać na łonie natury i przemierzali doliny Kalifornii. Przerobili rower jednego z tatusiów, dodali przerzutki, by lepiej wspinać się po zboczach, amortyzatory, by lepiej zjeżdżać, i prostą, bardziej stabilną kierownicę.

Dlaczego cyclo-cross odbywa się zawsze zimą?

Pokonuje się w nim 10 razy dwukilometrową leśną trasę na niebezpiecznym terenie. Dodatkowymi atrakcjami są: zimno, śnieg, deszcz, wiatr, błoto. Kiedy droga staje się nie do przebycia, zawodnik ma prawo zejść z roweru, ale musi kontynuować trasę, niosąc go na ramieniu.

Dlaczego strój rowerzysty jest taki opływowy?

Strój ten został zaprojektowany w taki sposób, żeby stawiać jak najmniejszy opór powietrzu. Koszulka jest z goreteksu – nieprzemakalnej tkaniny, która pozwala skórze oddychać. Opięte, elastyczne spodenki są wewnątrz wyściełane specjalnym materiałem, dzięki czemu kolarze nie mają odparzeń.

Kolarze jeżdżą druzynami. Zawodnicy z jednej drużyny trzymają się razem i pomagają liderowi – osłaniają go od wiatru, żeby nie tracił sił. Stąd wziął się peleton.

Dlaczego na trasie zawodnicy jadą jeden za drugim?

By chronić się przed wiatrem za plecami przeciwnika i jak najmniej się zmęczyć. Trasa sprintu jest krótka – 1 km, a najważniejsze jest ostatnie 200 m. Na początku rowerzyści próbują więc sprowokować przeciwników do ustawienia się przed nimi, niemal ustępując im miejsca, by ci bardziej się zmęczyli.

NIE DO WIARY!
● Rekord prędkości na rowerze, ustalony w aeorodynamicznym tunelu, wynosi 268,831 km/h. Osiągnął go 3 października 1995 roku Holender Fred Rompelberg.

Tour de France

Tour de France został wymyślony w 1903 roku przez dziennikarzy Desgrange'a i Lefèvre'a w celu zapewnienia sukcesu nowemu przeglądowi sportowemu „Auto". Sprawozdania, które były transmitowane przez radio, a następnie, od roku 1950, przez telewizję, sprawiły, że wyścig stał się szybko najsłynniejszy na świecie. Dzisiaj Tour rozgrywany jest w lipcu, trwa 22 dni i liczy tyle etapów, ile dni. Uczestniczy w nim 180 zawodników, zgrupowanych w 20 drużynach. Całkowita trasa wyścigu wynosi 3800 km. W 1992 roku Miguel Indurain ustalił średnią rekordową prędkość – 39,504 km/h.

W jaki sposób wygrać Tour?

Istnieją 3 rodzaje kolarzy: szybcy – mocni atleci, którzy mogą przemierzać długie dystanse, nie męcząc się; lżejsi – alpiniści sunący po bardziej męczących przełęczach, i sprinterzy – mistrzowie czasówki. Tour de France łączy w sobie te 3 rodzaje zadań. Żeby wygrać zawody, trzeba więc być doskonałym kolarzem, dokonującym wyczynów na różnych terenach.

Jak wyglądały pierwsze zawody Tour de France?

Były niezwykle malownicze. Trwały około 19 dni. Etapów było tylko 6. Zawodnicy jeździli po 20 godzin, dniem i nocą, na wyboistych drogach. Czasami zsiadali z rowerów, by naprawiać je w środku trasy. Pierwszym zwycięzcą wyścigu był Maurice Garin,

z zawodu kominiarz, drobny (165 cm wzrostu, 61 kg wagi), ale bardzo uparty.

Jak opisać największych bohaterów Tour de France?

To proste: było ich 5, a każdy z nich pięciokrotnie zdobył żółtą koszulkę: Jacques Anquetil – bardzo wątły z racji wiecznej diety; Belg – Eddy Merckx, zwany Kanibalem, pokonujący każdy etap z niezwykłą zaciętością; charakterny

Rozpoczęcie pierwszego Tour de France w 1903 roku.
Po mistrzostwach świata w piłce nożnej i igrzyskach olimpijskich to trzecie najchętniej oglądane sportowe zawody świata.

Bernard Hinault ("Borsuk"); Miguel Indurain, którego serce biło z prędkością 28 uderzeń na minutę (zamiast 70!). I w końcu Amerykanin Lance Armstrong, stający na podium siedem razy – od 1999 roku.

Dlaczego w Tour de France o randze zawodnika decyduje kolor koszulki?

Od 1919 roku żółta koszulka przypada w udziale zwycięzcy. Zielona noszona jest przez najlepszego sprintera, biała w czerwone kropki należy do najlepszego kolarza górskiego, biała wskazuje najlepszego młodego kolarza.

Jak to się dzieje, że kolarze nie umierają z głodu?

W czasie wyścigu zawodnicy nie mają prawa zatrzymać się na posiłek. Wstają więc bardzo wcześnie rano, na 3–4 godziny przed rozpoczęciem wyścigu, by mieć czas na zjedzenie olbrzymiego śniadania, a przede wszystkim na jego strawienie (w przeciwnym razie byłoby im niezwykle trudno pedałować). W czasie wyścigu mają przy pasku chlebak i kiedy czują ściskanie w żołądku, przegryzają małe co nieco.

NIE DO WIARY!

● Tour de France to również setki organizatorów, przewodników, dziennikarzy, techników, porządkowych. Ale zamieszanie!

Motocykle

- *Pierwszy motor, skonstruowany w 1885 roku, poruszał się z prędkością 19 km/h. Dzisiaj motory osiągają prędkość 300 km/h.*

- *Jazda motocyklem to fascynujący, ale bardzo niebezpieczny sport. Trzeba wykazać się zmysłem równowagi, refleksem i doskonałym wzrokiem.*

- *Grand prix rozgrywane są na maksymalnym dystansie 130 km. Motocykle pokonują wówczas etapy wytrzymałościowe. W czasie 24 godzin 3 razy zmieniają się ekipy.*

- *Amatorzy kaskad wolą motory terenowe.*

Dlaczego ubiór zawodników zakrywa całe ciało?

Faktycznie spod ubrania nie widać ani skrawka ciała. Taki kombinezon chroni w razie upadku przed groźnymi otarciami.

Dlaczego zawodnicy na wirażach koszą trawę?

By zyskać na czasie i nie dać się wyprzedzić, zawodnicy wchodzą w zakręty po wewnętrznym torze. By pokonać taki zakręt, często bardzo ostry, nie wystarczy hamować, trzeba również balansować ciałem

i przechylać się na bok tak mocno, żeby kolano dotknęło ziemi. Dlatego kombinezony wyposażone są w specjalne, supermocne nakolanniki. Na pewno się nie przetrą.

Jak jeździć w supercrossie?

Wyścigi supercross odbywają się na stadionie, na zaledwie kilkusetmetrowym torze pokrytym pagórkami. Startuje 6 śmiałków, którzy prześcigają się, przelatując czasami nawet 50 m w powietrzu. To prawdziwa akrobatyka! Wyścig ma kilka etapów – wygrywa oczywiście najszybszy z zawodników.

Tor grand prix jest zawsze pusty, ponieważ niebezpieczeństwem dla motocyklisty jest uderzenie w przeszkodę, a nie sam upadek.

Dlaczego w sidecarze zawodnik robi wygibasy?

Sidecar to motocykl z dwoma siedzeniami, 3-kołowy, nie bardzo stabilny. Na wirażach często widać zawodnika niemal kładącego się na plecach kierowcy i przybierającego niezwykłe pozycje. Nie ma on jednak na celu rozśmieszenia publiczności, ale wyważenie równowagi pojazdu na zakrętach. Bez niego sidecar znalazłby się w rowie.

tym więcej kolein, opony toną w błocie, które chlapie na wszystkie strony. W telewizji wygląda to super, ale lepiej nie być wtedy na widowni. Kąpiel błotna gwarantowana!

Dlaczego motocross spodoba się brudaskom?

Ten wyścig odbywa się na trasie o długości 1–2 km. Jest ona niezwykle trudna i często pokryta błotem. Zawodnicy startują jednocześnie i okrążają stadion ramię w ramię. Im więcej okrążeń,

NIE DO WIARY!

● Rekord prędkości wynosi 518,45 km/h. Ustanowił go Amerykanin Dave Campos 14 lipca 1990 roku na motorze Easyrider z dwoma silnikami Harleya-Davidsona.

Rolki i deskorolka

- *To więcej niż sport – to styl i środek transportu. Zwolenników tych dyscyplin widać dzisiaj wszędzie.*

- *Wrotki wymyślił w 1760 roku belgijski inżynier i muzyk Józef Merlin. Wykorzystuje się je do wyścigów, wycieczek, konkursów akrobatycznych, tańca a nawet meczów hokeja.*

- *Skateboarding (deskorolkarstwo) to młody sport dla zbuntowanych. Istnieją 3 jego rodzaje: freestyle – akrobatyczna jazda w stylu wolnym, fakie – seria podjazdów i zjazdów po rampie w kształcie litery U i streetstyle – praktykowany na ulicach.*

Jak odróżnić wrotki od rolek?

Wrotki wyposażone są w 2 kółka z przodu i 2 z tyłu oraz hamulec umiejscowiony z tyłu. W rolkach 4 kółka umieszczone są jedno za drugim, a za nimi znajduje się hamulec. Bardziej aerodynamiczne rolki wyparły dzisiaj wrotki.

Jak powstały wrotki?

Z wielkim hukiem. Po raz pierwszy Merlin pokazał swój wynalazek w czasie balu maskowego, na który udał się na wrotkach ze skrzypcami w ręku. Niestety nie umiał jeździć i zapomniał o hamulcach: wylądował na wielkim lustrze, połamał skrzypce i bardzo dotkliwie się poranił. W roku 1819

francuski mechanik Petibled wpadł na pomysł wyprodukowania wrotek z hamulcem.

Dlaczego toczy się walka między rolkarzami a skaterami?

Zajmują to samo terytorium: ulicę. Poręcze schodów, brzegi chodników, kosze na śmieci i ławki zawsze stanowiły dla skaterów pole do popisu. Ale wynalezienie kół z poliuretanu (1980 rok), giętkiego plastiku, który lepiej przywiera do drogi, pomogło obu stronom toczącym bój polubić jeżdżenie po płaskich powierzchniach.

Jak gra się w hokeja ulicznego?

2 drużyny po 5 zawodników na rolkach walczą na asfalcie, na boisku o wymiarach 20 x 40 m przez 2 połowy meczu, trwające po 25 minut. Gra się zakrzywionymi kijami, tak jak w golfie, i małymi piłkami, które się toczą. Dyscyplina ta jest daleka od hokeja na lodzie, bo tutaj przemoc ustępuje miejsca precyzji. Mistrzami są Portugalczycy i Hiszpanie.

W latach 90. XX wieku na ulicach zaroiło się od rolkarzy. Jazda na rolkach stała się bardzo popularnym sposobem poruszania się po mieście.

W jaki sposób powstał skateboarding?

Pewnego dnia 1962 roku, kiedy morze było spokojne i zupełnie bez fal, dwóch kalifornijskich surferów wpadło na pomysł dorzucenia 4 kółek do deski i jeżdżenia w pustym basenie. W Stanach Zjednoczonych baseny mają pochyłe dna. Tak powstała słynna rampa w kształcie litery U, czyli half-pipe, na której trenują mistrzowie skateboardingu.

NIE DO WIARY!

• Mistrzowie osiągają na rolkach prędkość 100 km/h. W skateboardingu rekord wynosi 108 km/h.

Narciarstwo

- *Narciarstwo zrodziło się w krajach północnych dawno temu. Wynaleźli je przodkowie Lapończyków. W dzisiejszych czasach w Finlandii narciarstwo należy do przedmiotów obowiązkowych w szkole. W XIX wieku dzięki Norwegom narciarstwo biegowe stało się popularnym sportem.*

- *Narciarstwo biegowe jest uprawiane na płaskim albo lekko pofalowanym terenie. Na igrzyskach olimpijskich rozgrywa się biegi, sztafety, biatlon.*

- *Skoki na nartach, zarezerwowane dla mężczyzn, wymagają wiele odwagi i są uprawiane bez kijków.*

Jak rozpoznać narty biegowe?

Narty są wąskie i mają mocno zadarte czubki, by łatwiej było poruszać się na płaskich odcinkach. Buty przypięte są do nart w taki sposób, by móc podnosić podbicie bez odrywania narty od śniegu. To bardzo elegancki sport.

Jak poruszają się biegacze?

Biegacze poruszają się, ustawiając narty równolegle i kładąc nacisk kolejno na jedną i drugą nogę, a następnie na kijki. Podczas wyścigów, by mniej się męczyć, ustawiają narty w głębokich wyżłobieniach w śniegu, przypominających nieco tory. Ale nie jest to zwykły bieg: to sport dla wytrwałych i można go uprawiać jedynie, jeśli jest się w bardzo dobrej formie.

Jak wygląda sprint?

Zawodnik porusza się krokiem łyżwiarza – odpycha się jedną nogą w bok, nabierając rozpędu, zaraz potem drugą – i tak na przemian. Pozwala to na szybszą jazdę i wyprzedzenie innego zawodnika. Ale ten rodzaj biegu jest również bardziej męczący i nie zawsze fair play, gdyż utrudnia trasę pozostałym zawodnikom.

Dlaczego biatlon jest taką trudną dyscypliną?

Biatlon to bieg na nartach, w czasie którego zawodnicy zatrzymują się w wyznaczonych miejscach i oddają strzał z karabinku w pozycji leżącej lub stojącej do celów znajdujących się w odległości 50 m. Koncentracja potrzebna do oddania strzału jest niezwykle trudna, gdy serce uderza 160 razy na minutę, a mięśnie drżą z wyczerpania.

się nie porusza. Gdyby to zrobił, byłoby po wszystkim. Groźna jest sytuacja, kiedy skoczek, lądując, przekroczy punkt K – najdalsze miejsce bezpiecznego lądowania, za którym teren zaczyna się wyrównywać. Ten punkt jest oznaczony czerwoną linią lub chorągiewką i mieści się w odległości 90–120 m od skoczni.

Jak pomyślnie wykonać skok narciarski?

Zawodnik startuje z przycupniętej pozycji. Chce w ten sposób osiągnąć odpowiednią prędkość. Na progu skoczni robi wyskok. W czasie lotu niemal kładzie się na nartach i prawie

NIE DO WIARY!

● Rekordowy skok na nartach wyniósł 246,5 m. Został oddany przez Norwega Johana Remena Evensena 11 lutego 2011 roku.

Narciarstwo alpejskie

- *Narciarstwo alpejskie ma dopiero wiek. To sport wymagający doskonałego opanowania techniki, ogromnej zręczności i koncentracji. Na olimpiadzie istnieją 3 rodzaje dyscyplin.*

- *Zjazd odbywa się na długim i niezwykle twardym stoku, z prostymi odcinkami i zakrętami.*

- *Wyścigi na bardzo twardej i całkowicie gładkiej trasie obejmują dystans nieco ponad 1 km.*

- *Slalom (z języka norweskiego „sla" – zbocze i „lom" – kręte) polega na zjechaniu ze stoku zygzakiem pomiędzy słupkami. Istnieją 3 rodzaje slalomu: specjalny, gigant i supergigant.*

- *Narciarstwo akrobatyczne (dowolne), dopuszczone w 1992 roku do igrzysk olimpijskich, obejmuje m.in. jazdę po muldach, skoki i skicross.*

W jaki sposób wyciągi zmieniły życie narciarzy?

Kiedyś narciarze musieli sami wchodzić na górę. Na narty zakładali skórę z fok, żeby uniknąć ześlizgiwania się ze stoku. Kiedy w latach 50. XX wieku pojawiły się wyciągi, narciarstwo stało się przyjemniejsze i jego popularność momentalnie wzrosła.

(250 m), twardej i pokrytej muldami o wysokości 1 m. Zawodnik ma 35 sekund na zjazd i w tym czasie musi pokonać 60 zakrętów i zrobić 2 pionowe skoki. Lepiej być twardzielem.

Dlaczego jazda po muldach zwana jest hot dogiem?

Ponieważ została wymyślona przez narciarza, który na szczycie góry jadł hot doga. Kanapka wypadła mu z ręki, narciarz ruszył za nią w pościg, skacząc po pagórkowatym zboczu. Ta dyscyplina narciarstwa akrobatycznego jest rozgrywana na krótkiej trasie

Dlaczego narciarz ma bezdech?

Zawodnik zjeżdża tak szybko (często około 220 km/h), że robi to na bezdechu. Gdyby oddychał, powietrze mogłoby uszkodzić mu nozdrza. Na szczęście sam zjazd trwa niecałe 2 minuty.

Slalom zwany supergigantem rozgrywany jest na długiej i bardzo twardej trasie z 35 bramkami.

Jak odróżnić slalom specjalny od slalomu giganta?

Slalom specjalny rozgrywany jest na krótkiej, niezbyt twardej trasie, ma 55–70 bramek, które stoją w niewielkich odległościach. Tu liczy się refleks, trzeba wykonać całą serię małych zakrętów, przemykając między bramkami. Slalom gigant rozgrywany jest na 2 razy twardszej trasie, a bramek jest 30. Tutaj zjeżdża się z większą prędkością.

okulary, nakolanniki i miękkie rękawiczki, by bezboleśnie mierzyć się z chorągiewkami, bo często uderza w nie rękami, nogami, a nawet twarzą!

Dlaczego w slalomie zawodnik przewraca chorągiewki?

Jeśli narciarz chce jak najszybciej pokonać trasę, musi przejechać jak najbliżej chorągiewek, nawet je potrącając. Tyczki zrobione są z giętkiego plastiku i składają się bez złamania. Zawodnik ma nietłukące się

NIE DO WIARY!

- W kwietniu 2006 roku Włoch Simone Origone osiągnął prędkość 251,40 km/h na trasie w Les Arcs. To rekord prędkości w narciarstwie alpejskim.

81

Saneczkarstwo – i nie tylko

- *Bobsleje ("skaczące sanki") to pojazdy wyposażone w 4 metalowe łyżwy, z czego 2 są ruchome, i metalową konstrukcję. Podobnych używali niegdyś amerykańscy drwale do jazdy po śniegu. Wyścigi odbywają się na supergładkich trasach lodowych.*

- *Sanki to małe sanie na nieruchomych łyżwach. Rozpowszechnione jako sport dla przyjemności, weszły do repertuaru igrzysk olimpijskich dopiero w 1964 roku. Wyścigi odbywają się na bardzo krętych trasach.*

- *Snowboard to obecnie bardzo modna dyscyplina.*

Jak prowadzi się bobsleje?

Trochę tak jak samochód: trzymając w rękach kierownicę. Pilot siada z przodu, za kierownicą. Hamujący z tyłu. Hamulce to rodzaj grabi, które orzą powierzchnię lodu. Pomiędzy kierującym a hamującym jest jeszcze miejsce dla dwóch osób.

W jaki sposób zawodnicy rozpoczynają wyścig?

Na początku pchają bobsleje na odcinku 50 m, by nadać im rozpęd. Mają buty wyposażone w szczoteczki, by móc biec po lodzie i się nie ślizgać. Następnie szybko wskakują do jadących bobslejów, zanim zaczną one sunąć po torze.

Jak kieruje się sankami?

Zawodnicy kładą się na sankach na wznak. Manewrują nogami i łańcuchem, który trzymają w ręku. W sankach z podwójnym miejscem dwaj zawodnicy kładą się jeden na drugim (łaskotanie zabronione!).

W jaki sposób powstał snowboard?

W 1960 roku kalifornijski surfer Sherman Poppers zaczął przemierzać zaśnieżone zbocza Kolorado na desce surfingowej. Pomysł chwycił.

Jak rozgrywane są zawody boardercross?

4–6 zawodników na snowboardach równocześnie wyrusza w trasę pełną przeszkód (na przykład skały, drzewa) i musi zjechać slalomem pomiędzy bramkami najszybciej, jak potrafi, nie strącając ich. Bardzo często – ku uciesze widzów – widowisko zamienia się w ogromny rozgardiasz.

Na początku do deski przyczepiano sznurek albo gumowy pasek, żeby lepiej ją utrzymać.

W jaki sposób odróżnić snowboard od monoski?

Przy monoski stopy umocowane są wzdłuż deski, a zawodnicy suną po trasie z kijkami w rękach. W snowboardzie stopy ustawione są w poprzek deski i surfuje się bez kijków, w pozycji mocno pochylonej, co daje większą swobodę ruchów i możliwość manewrowania.

NIE DO WIARY!

● Trasa bobslejów jest gigantyczną rurą lodową, która musi być stale zmrażana. Jest tak droga, że na całym świecie jest jedynie kilkanaście takich torów.

83

Łyżwiarstwo

- Łyżwiarstwo zrodziło się na skutych lodem kanałach XIV-wiecznej Holandii. W roku 1924 do igrzysk olimpijskich dopuszczono wyścigi łyżwiarskie.

- Łyżwiarstwo szybkie to dyscyplina rozgrywana na dworze albo na krótkich torach w hali. Łyżwiarze mają na sobie obcisłe kombinezony, by stawiać mniejszy opór powietrzu, mknąc z prędkością 50 km/h.

- Łyżwiarstwo figurowe zrodziło się w 1860 roku. Rozgrywane są 4 konkurencje: jazda solo, pary sportowe, pary taneczne i łyżwiarstwo synchroniczne.

Dlaczego można stwierdzić, że łyżwiarstwo jest jednym z najstarszych sportów w historii?

Być może nawet najstarszym, gdyż w wielu krajach Europy archeologowie odnaleźli łyżwy zrobione z kości (a dokładnie ze szczęki konia), które liczyły ponad 20 000 lat. Można zatem powiedzieć, że człowiek pierwotny był świetnym łyżwiarzem.

Dlaczego łyżwiarze szybcy zmieniają tory?

Wyścig odbywa się na owalnym torze o długości 400 m, na dwóch pasach. W walce staje obok siebie dwóch łyżwiarzy, którzy mkną w kierunku przeciwnym do ruchu wskazówek zegara. Po każdym okrążeniu zamieniają się torami we wcześniej ustalonym punkcie po to, by żaden z nich nie miał uprzywilejowanej pozycji – tor zewnętrzny jest dłuższy od toru wewnętrznego. By uniknąć zderzenia, jeden z sędziów czuwa nad zamianą torów niczym policjant na skrzyżowaniu.

Jak łyżwiarze rozpoczynają wyścig?

Czekają na sygnał do startu, ustawieni za linią. Nie mają bloków startowych, więc rozpędzają się, biegnąc po lodzie, co wcale nie jest takie łatwe.

Jak odbywają się zawody taneczne?

Przed występem łyżwiarze losują 2 tańce obowiązkowe z tradycyjnego repertuaru: walc, tango, rumba, pasodoble. Po ich wykonaniu przedstawiają taniec dowolny, w którym mają więcej swobody.

wykonać poszczególne figury, np. overhead (partner trzyma partnerkę nad głową) albo słynną spiralę śmierci (trzeba obrócić partnerką tuż nad lodem), lepiej nie być skłóconym w trakcie zawodów.

Dlaczego łyżwiarze tańczący parami powinni się dobrze rozumieć?

Harmonia w takiej parze jest niezbędna, by perfekcyjnie wykonać program. Wszystko powinno być zapięte na ostatni guzik: gesty, styl obu łyżwiarzy, strój. By należycie

NIE DO WIARY!

● „Królowa lodu", Norweżka Sonja Henie, po raz pierwszy uczestniczyła w olimpiadzie w wieku 11 lat. W wieku 14 lat zdobyła mistrzostwo świata i była mistrzynią przez 10 lat.

Hokej na lodzie

- *Hokej na lodzie jest bardzo starym sportem, uprawianym kiedyś na zamarzniętych jeziorach i rzekach. W 1885 roku spisano pierwsze reguły nowej dyscypliny, która w 1924 roku stała się dyscypliną olimpijską.*

- *To twardy, szybki, ofensywny sport zarezerwowany dla mężczyzn. Mecz składa się z trzech 20-minutowych tercji, pomiędzy którymi obowiązują 15-minutowe przerwy. Zważywszy na brutalność gry, zmiany zawodników są tu częste. Gracze wyposażeni są w kije, którymi popychają kauczukowy krążek do bramki przeciwnika.*

Dlaczego hokeiści często odbywają kary?

Siadają na ławkach karnych za popełnienie przewinienia, jakim jest na przykład faul. W hokeju starcia są bardzo częste i łatwo przeradzają się w bijatyki. W zależności od rodzaju przewinienia gracz może pozostawać przez 2,5 minuty albo 10 minut na ławce karnej. Za nieznaczne przewinienia uważa się podstawienie nogi, uderzenie pięścią albo zahaczenie. W tej sytuacji trudno wyobrazić sobie większe przewinienia...

Dlaczego przy oglądaniu meczu hokejowego można dostać zawrotów głowy?

Hokej to najszybszy na świecie sport drużynowy. Gracze jeżdżą na łyżwach z prędkością przekraczającą 60 km/h, szybciej niż ścigający się łyżwiarze! Krążek musi być ciągle w ruchu: nie można go blokować ręką, kijem ani ciałem. Nawet bramkarz nie może być w posiadaniu krążka dłużej niż 3 sekundy.

W co wyposażony jest bramkarz?

Każdy z ochraniaczy na nogach bramkarza – parkan – waży 12 kg (na szczęście bramkarz nie musi gnać po boisku, tak jak pozostali zawodnicy). Na torsie ma kamizelkę ochronną, na twarzy maskę z kratownicą, przez którą wszystko widzi. Na rękach – rękawice, ale każda inna: na jednej tzw. łapaczka, a na drugiej odbijaczka, którą bramkarz odbija krążek.

Dlaczego przerwy pomiędzy tercjami są takie długie?

Po to, żeby technicy mogli wyrównać nawierzchnię lodowiska: często uderzana kijem, orana łyżwami jest bardzo nierówna. Przypomina pobojowisko. Trzeba ją wygładzać co 20 minut specjalną maszyną, która zdziera warstwę lodu i regeneruje powierzchnię.

Są tylko dwie zabronione rzeczy: wybicie krążka za bandę i przebywanie w strefie ataku w oczekiwaniu na krążek.

Dlaczego hokej to gra, w której dominuje przemoc?

W hokeju niewiele rzeczy jest zabronionych: można napierać na zawodnika, skacząc na niego. Można kopać krążek nogą (ale nie, żeby strzelić gola). Można poruszać się po całym boisku, nawet za bramką.

NIE DO WIARY!

- Uderzony krążek może sunąć z prędkością 200 km/h. Lepiej nie pozostawać w jego zasięgu.

Alpinizm i wspinaczka

- *Francuski przewodnik Jacques Balmat i doktor Paccard pomyślnie weszli na Mont Blanc w 1786 roku i rozpowszechnili modę na alpinizm. To bardzo niebezpieczny sport, którego nie mogą uprawiać dzieci.*

- *W latach 70. niektórzy alpiniści wynaleźli nową dyscyplinę – wspinaczkę: tym razem chodzi o wspinanie się bez pomocy drabinek i czekanów, tylko dzięki sile mięśni nóg i rąk, zwłaszcza łydek i nadgarstków. Wielu sportowców uprawia wspinaczkę na przystosowanych do tego sztucznych ściankach.*

Dlaczego dobry alpinista powinien chować linę do plecaka?

Kiedyś liny były zrobione z konopi albo jedwabiu. Obecnie wykonane są z nylonu – elastycznego materiału, wytrzymałego jak stal. Wada jest tylko jedna – źle znoszą działanie światła. By nie straciły swoich właściwości, powinny być przechowywane w plecaku.

W jaki sposób alpinista się zabezpiecza?

Alpinista zahacza linę o punkty zaczepienia, które znajdują się na urwisku. Organizacje wspinaczkowe montują w górach haki alpinistyczne, stalowe obręcze przyczepiane do ścian co 2–3 m. Każdy wspinający się

ma na sobie uprząż, do której przypina linę. Zaczepia ją o wszystkie haki na drodze. Jeśli zrobi to dobrze, nie spadnie. To kwestia życia i śmierci.

Dlaczego alpiniści zawsze pamiętają o szczoteczce do zębów?

Na rękach mają tlenek magnezu (magnezję) po to, żeby się nie ślizgać, ale substancja ta niszczy skały. Wszelkie ślady zacierają właśnie pastą do zębów. Na wysokości 300 m na pustkowiu łatwo byłoby dokonać zniszczeń.

Alpinista
Pierre Tardivel

Niektórzy alpiniści wspinają się na szczyty i zjeżdżają z nich na nartach, po stromych zboczach.

Dlaczego wspinacze układają materace u stóp gór?

Ten wypchany materac to *crashpad*: służy do amortyzowania upadków, a nie do spania. Używają go ludzie, którzy wspinają się bez lin, gołymi rękami, na niezbyt wysokie (tylko 5–6 m), śliskie skały. Ta dyscyplina pojawiła się całkiem niedawno, a już cieszy się niezmierną popularnością.

Jak wspinać się po miękkim podłożu?

Każdy rodzaj skał to inne wyzwanie. Wapień jest miękki i pełen nierówności, po których łatwo się wchodzi. Ale są i takie skały, które składają się z kliku warstw spiętrzonych kamieni. Wówczas wspinaczka nie jest łatwa.

Jak się przekonać, czy nadajesz się na alpinistę?

Żeby być dobrym alpinistą, trzeba być lekkim, zwinnym, mieć doskonałą kondycję fizyczną i końskie zdrowie. Wystarczy 700 razy podciągnąć się w ciągu godziny na drążku i powisieć przez kilka chwil na jednym palcu…

NIE DO WIARY!

● Zdobycie Mount Everestu (8848 m) jest niezwykle trudnym i niebezpiecznym zadaniem. Najszybciej szczyt zdobył Nepalczyk Babu Chhiri w 2000 roku: 16 godzin 56 minut.

89

Pływanie

- *Już na 3000 lat przed narodzeniem Chrystusa Egipcjanie pływali w Nilu. W Europie przez długi czas sądzono, że pływanie jest przyczyną chorób i trzeba było czekać na rok 1828, żeby Anglicy jako pierwsi wskoczyli do wody w basenie w Liverpoolu (pierwszy basen zbudowany na Zachodzie).*

- *Rozróżnia się 5 stylów pływania: dowolny (kraul), grzbietowy, klasyczny (żabka), motylkowy i zmienny. Pływacy walczą na dystansach 50, 100, 200 m i na dłuższych odległościach. Są też dyscypliny polegające na pływaniu stylem zmiennym oraz sztafety.*

Dlaczego pływakom nie opłaca się oszukiwać?

Są kontrolowani przez sędziego, osobę odpowiedzialną za ich start, osobę odmierzającą czas, głównego sędziego, dwóch sędziów w każdym z korytarzy, 3 mierzących czas, 3 sędziów na mecie i osobę, która nadzoruje zawracanie. W sumie 8 zawodników pilnują aż 62 osoby. Wszyscy gromadzą się podczas zawodów wokół basenu. Pytanie brzmi: czy w ogóle jest tu miejsce na oszustwo?

W jaki sposób Tarzan ponownie wymyślił kraul?

Jako pierwszy popłynął tym stylem pod koniec XIX wieku Anglik. Ale w 1922 roku młody amerykański atleta Johnny Weissmuller wymyślił współczesny kraul, z głową odwracaną na bok do wzięcia wdechu. Ten sam człowiek wcielił się później w rolę Tarzana w kinie.

Dlaczego pływacy po dopłynięciu do mety uderzają w ścianę?

Żeby zatrzymać zegar i odmierzyć czas. Na końcu każdego toru znajduje się elektroniczna płytka połączona z systemem pomiarowym. Pływak musi dotknąć jej nie tylko w chwili przypłynięcia do mety, ale i przy każdym nawrocie.

Kraul to najszybszy styl pływacki. Dlatego mistrzowie wybierają go jako styl dowolny.

Dlaczego tak trudno przemierzyć kanał La Manche wpław?

Woda jest bardzo zimna, morze wzburzone, często jest mgła, można zaplątać się w wodorosty, pławić w ropie, być zmiażdżonym przez kotwicę statku. Urocza wyprawa! Pierwszy człowiek, któremu się to udało, to kapitan Matthew Webb – dokonał tego 26 sierpnia 1875 roku, w czasie 21 godzin 45 minut. Od tamtej pory było prawie 800 udanych prób. Rekordzistą jest Niemiec Christof Wandratsch.

Potem sposób zmodyfikowano – głowę ucznia podtrzymywano nad wodą kijem...

W jaki sposób ludzie uczyli się pływać 100 lat temu?

Stosowano różne metody: ucznia zanurzano w wodzie, ze sznurem przewiązanym wokół ciała, a drugi koniec tego sznura mocowano do pobliskiego drzewa, żeby pływak nie utonął.

NIE DO WIARY!

● Najmłodszą osobą, która przemierzyła kanał La Manche, był Anglik Thomas Gregory. W roku 1988 miał zaledwie 11 lat i 11 miesięcy, kiedy przepłynął kanał w czasie 11 godzin, 54 minut!

Sporty na basenie

- Skoki do wody to sport zbliżony do gimnastyki. Został wymyślony przez Niemców w XIX wieku. Zawodnik skacze z trampoliny, wykonując przy tym różne akrobacje.

- Waterpolo – piłka wodna – to sport, który wymyślili Anglicy. Przypomina siatkówkę, ale mecz rozgrywany jest w wodzie. 2 drużyny składają się z 13 zawodników każda, z czego 7 przebywa w wodzie. Czas gry to 4 x 8 minut.

- Pływanie synchroniczne powstało w Australii w latach 20. XX w. To bardzo piękna forma baletu wodnego z podkładem muzycznym.

Co wybrać: trampolinę czy platformę?

Trampolina znajdująca się 3 m nad wodą to wąska deska o długości 4 m. Jest giętka, więc zawodnicy szybują w powietrzu niczym podrzucane na patelni naleśniki. Platforma jest sztywna i większa. Znajduje się na wysokości 10 m nad wodą, dzięki czemu zawodnicy mają więcej czasu na wykonywanie akrobacji.

Jak początkowo Anglicy grywali w piłkę wodną?

Grali, siedząc okrakiem na beczkach. W XIX wieku członkowie klubu pływackiego w wolnej chwili wymyślili nową grę, by móc bawić się w suchych ubraniach. Od początku XX wieku nie używa się już beczek.

Dlaczego zawodnicy grający w piłkę wodną nigdy nie trzymają piłki dwiema rękami?

Piłkę odbija się dłonią jednej ręki, tak jak w siatkówce. Wszystko zostało pomyślane w taki sposób, żeby zawodnicy nie byli zbyt długo w posiadaniu piłki. Drużyna ma jedynie 30 sekund na strzelenie gola, w przeciwnym razie ryzykuje rzut wolny. To bardzo dynamiczny, ale spokojny sport. Nie wolno ochlapywać wodą przeciwnika ani go podtapiać.

Pływanie synchroniczne weszło do repertuaru igrzysk olimpijskich w 1984 roku. Zawodniczki startują solo przez 3 minuty 30 sekund, parami przez 4 minuty albo grupowo – od 4 do 8 zawodniczek – przez 5 minut.

zamek, flamenco, słynny podwodny szpagat. Opisano 200 figur. Na dobę przed rozpoczęciem zawodów zawodniczki losują 6 figur obowiązkowych i trenują je w celu zaprezentowania perfekcyjnego układu.

Dlaczego zawodniczki uprawiające pływanie synchroniczne czują się jak ryby w wodzie?

Większość figur wykonywanych przez zawodniczki jest zainspirowana ruchem zwierząt morskich. Nazwy figur to delfin, barakuda, bieługa, rybi ogon, ale również

Dlaczego bramkarz przypomina Rambo?

Bramka ma 3 m długości. Skuteczny bramkarz powinien być potężny i mieć długie ręce. W przeciwnym razie co chwila rzucałby się jak szalony na prawo i lewo.

NIE DO WIARY!

● Skok z największej wysokości został oddany przez Harry'ego Froboessa, który skoczył do morza ze sterowca, z wysokości 120 m. Nie zabił się i żył potem długo i szczęśliwie – zmarł w wieku 86 lat!

Inne sporty wodne

Dlaczego surfing tak długo był nieznany?

- *Surfing powstał na Oceanie Spokojnym i zaczął zyskiwać popularność od 1912 roku. To trudny sport akrobatyczny – trzeba jak najdłużej ślizgać się po falach. Zawody rozgrywa się od 1976 roku.*

- *W roku 1967 dwóch surferów wpadło na pomysł przymocowania żagla do deski: powstała deska do windsurfingu. Sport ten został uznany za dyscyplinę olimpijską.*

- *Narty wodne pojawiły się w 1920 roku, kiedy dwóch narciarzy w celach treningowych dało się pociągnąć po jeziorze z nartami na nogach.*

Został wynaleziony w 1778 roku przez kapitana Cooka, kiedy dopłynął on do wysp Sandwich, obecnego Archipelagu Hawajskiego. Rozentuzjazmowany, natychmiast chciał rozpowszechnić ten sport w Ameryce. Ale pastorzy – zbulwersowani skąpym odzieniem prawie nagich sportowców – zabronili uprawiania surfingu.

W jaki sposób surfujący pokonują fale?

Najpierw trzeba się dostać na wierzchołek fali. Wpływa się na nią wpław z deską pod brzuchem. Wstać można dopiero na szczycie fali – to tzw. *take-off* – wtedy zaczyna się ześlizg.

Surfer nabiera prędkości i może spróbować tzw. zawinięcia – otoczenia przez falę, czyli surfowania w jej środku.

Jak dobrać odpowiednią deskę?

Istnieje wiele rodzajów desek. Na początku należy wybrać deskę malibu – długą, 3-metrową, z okrągłym dziobem, ciężką, ale stabilną. Kiedy nabierzemy już pewności, można przejść na deskę shortboard albo funboard: wąską, z ostrym dziobem, o długości około 2,5 m,

W jaki sposób pływa się na desce windsurfingowej?

Dzięki *wishbone*. Ten angielski termin oznacza mostek. Jest to kość w kształcie litery V. W desce nazywa się to bomem. Otacza on żagiel i służy do sterowania.

pozwalającą na wszelkiego rodzaju akrobacje.

dlaczego w slalomie narciarze wodni mają trudną sytuację?

Narciarz ciągnięty przez motorówkę, która płynie z prędkością 58 km/h, musi wykonywać zygzaki na wodzie pomiędzy 6 bojami ustawionymi w układzie rombowym na 23-metrowym

pasie. Początkowo lina przymocowana do motorówki, którą trzyma narciarz, ma 18,25 m, ale po każdym minięciu boi zostaje skrócona, by zmniejszyć pole manewru. Pod koniec ma jedynie 10,75 m i zawodnik musi kłaść się na wodzie, żeby ominąć boje.

NIE DO WIARY!

• Rekord prędkości na nartach wodnych wynosi 260 km/h.

Kajakarstwo

- *Spływ rwącymi rzekami to niebezpieczna, ale ekscytująca rozrywka, która znajduje coraz więcej zwolenników.*

- *Kajakarstwo datuje się na 1835 rok. Powstało w Anglii, a w repertuarze igrzysk olimpijskich znalazło się w 1936 roku. Organizuje się 3 rodzaje zawodów: wyścigi rozgrywane na nieruchomych wodach oraz slalom i zjazd rozgrywane na ruchomych wodach. Kanadyjki, zarezerwowane dla mężczyzn, prowadzone są pojedynczym wiosłem, a kajaki podwójnym.*

- *W 1944 roku Amerykanie wylądowali w Normandii na dużych gumowych pontonach – raftach. Po wojnie zaczęto uprawiać na nich tzw. rafting – spływ górskimi rzekami na pontonach.*

Dlaczego nie należy mylić kanadyjki z kajakiem?

Kanadyjki zostały wymyślone przez Indian z Kanady. To odkryte łodzie wykonane z pnia brzozy. Kajak zaś wymyślili Eskimosi, którzy budowali swoje jednostki pływające z kości renifera i obciągali je foczymi skórami, żeby uzyskać dobrą szczelność. Wślizgiwali się do wewnątrz wąskim otworem.

Dlaczego kajakarze nigdy się nie topią?

Ich łodzie są niezatapialne dzięki wypełnionym powietrzem komorom, umieszczonym z obu stron kajaka. Mogą się wywrócić, ale nie zatoną. Przed wypadnięciem z kajaka wioślarza chroni fartuch z nieprzemakalnego materiału, który otacza go w pasie i jest przypięty do burt. W razie wywrotki kajakarz odbija się wiosłem, by powrócić do pozycji pionowej.

Jak wygląda slalom?

Kajaki płyną w tę i z powrotem strumieniem pełnym skał, przepływając pod bramkami. Pod białymi i zielonymi należy przepłynąć w jedną stronę. W drodze powrotnej, pod prąd, należy przepłynąć pod białymi i czerwonymi.

Oparcie się o bramkę jest wykroczeniem.

Przebycie 8 km rwącej rzeki pośród skał: spływ kajakiem to ogromny wysiłek fizyczny.

Jak dobrze się bawić, spływając na desce dziką rzeką?

Hydrospeed – spływ na desce dziką górską rzeką – to nowy sport dla szalonych i odważnych. Jest dużo trudniejszy i bardziej niebezpieczny, niż mogłoby się wydawać. Należy spłynąć rwącym nurtem, pomagając sobie dłońmi, chroniąc głowę przed uderzeniami o skały i trzymając się deski.

Dlaczego rafting nie spala nigdy na panewce?

Raft to „tratwa" złożona z kilku gumowych elementów. Jeśli któryś z nich się przebije, pozostałe mogą płynąć dalej. Nie jest to tak niebezpieczny sport, jak mogłoby się wydawać na pierwszy rzut oka. Rozgrywany jest w 5–8 jednostkach pod przewodnictwem najbardziej doświadczonego sternika.

NIE DO WIARY!

● Najdłuższy kajak na świecie znajduje się w Nadubhagom, w Indiach: 9 trenerów i 109 wioślarzy w 41-metrowej łodzi (każdy z wiosłujących ma dla siebie 35 cm przestrzeni).

Żeglarstwo

- Zanim żeglowanie stało się sportem, był to środek transportu i sposób na poznawanie świata. To wikingowie przed 1000 lat odkryli Grenlandię w łodziach, a w XV wieku Krzysztof Kolumb, Vasco da Gama i Ferdynand Magellan odkryli nowe lądy.

- Żeglarstwo sportowe pojawiło się w XVII wieku w Holandii. Holendrzy organizowali wyścigi na pokładach lekkich żaglowców, które sami wymyślili – jachtów. Istnieją 3 główne rodzaje statków żaglowych: żaglówka mieczowa – mała i lekka, dobra na przybrzeżne przejażdżki; jachty kilowe – większe jednostki jednomasztowe, i statki wielomasztowe przeznaczone do wielkich wypraw.

Dlaczego na statku nigdy nie mówi się o linach?

Ponieważ to przynosi pecha. A lin tu nie brakuje. Marynarze wymyślili cały szereg nazw do opisu lin: fały służą do stawiania żagli, szoty do ich regulowania. Wanty nie są linami miękkimi tylko stałymi, które podtrzymują maszt.

W jaki sposób kieruje się statkiem?

Korzystając ze steru. Znajduje się on z tyłu statku – na rufie, składa się z rumpla na poziomie pokładu, połączonego z płaską metalową częścią zanurzoną w wodzie – płetwą sterową. Kiedy manipulujemy rumplem, kręcimy płetwą sterową i zmieniamy kierunek. Uwaga: jeśli chcemy skierować statek w lewą stronę, wówczas należy wychylić rumpel w prawo.

Jak nauczyć się żeglować?

Naukę można rozpocząć w wieku 7 lat, na pokładzie żaglowca Optimist. To lekka żaglówka, płaskodenna, o szerokim kadłubie, który nie pozwala się jej przewrócić. Następny krok to większa żaglówka – Mak lub Omega. Potem nauka odbywa się na katamaranie albo jachcie kilowym.

Katamaran jest delikatny, ale szybki. To nim bite są wszelkie rekordy prędkości.

Dlaczego marynarze wykonują akrobacje na jachcie?

Żaglówki tak mocno przechylają się pod wpływem wiatru, że grozi im wywrotka. Żeby zrównoważyć przechył, załoga siada na unoszącej się burcie, a nawet zwisa za nią, trzymając się liny, zwanej trapezem.

kurs. W przeciwieństwie do mieczowych jachty kilowe mają taką płetwę stabilizacyjną zamontowaną pod kadłubem na stałe. Jest to kil.

Dlaczego niektóre żaglówki nazywane są mieczowymi?

Żaglówki te wyposażone są w miecz wystający z dna, przypominający płetwę rekina, który można podnosić i opuszczać – jak miecz w pochwie. Nie pozwala on przewrócić się żaglówce pod wpływem wiatru i pomaga utrzymać

NIE DO WIARY!

● Olbrzymie katamarany mają 26 m długości, 14 m szerokości i 30 m wysokości. Są większe od kortu tenisowego. Ich żagle mają powierzchnię 700 m².

99

Zawody żeglarskie

- *Regaty przybrzeżne to jedyna dyscyplina związana z żaglami, która znajduje się w programie igrzysk olimpijskich. Jachty są jedno- lub kilkukadłubowe.*

- *Wyścigi na pełnym morzu organizowane są dla jachtów jednokadłubowych, na dystansie co najmniej 200 km.*

- *Rejs przez Atlantyk odbywa się na dystansie 5700–10 800 km. Pierwszy taki rejs odbył się w 1866 roku i trwał 84 dni. Dzisiaj trwa od 4 do 7 dni.*

- *Rejs dookoła świata, czasami bez zawijania do portu, w grupie albo samotnie, to trudne wyzwanie.*

Jak przebiegają regaty?

Mogłoby się wydawać, że w ogromnym bałaganie statki nie podążają swoimi torami. Wyścig polega na opłynięciu 3 boi w promieniu od 1 do 2 mil (1 mila morska = 1852 m). Z daleka wygląda na wielką bitwę. A tak naprawdę jachty muszą przestrzegać ściśle określonych zasad.

Jak przepłynąć Atlantyk?

Wystarczy obrać trasę północną, z Nowego Jorku do Przylądku Lizard, na której bardzo silne wiatry popychają statek z Ameryki do Europy. Ci, którzy płyną w odwrotnym kierunku, nie mają ani minuty wytchnienia.

Dlaczego Vendèe Globe to najtrudniejsze regaty?

To jedyny wyścig dookoła świata, który odbywa się bez przybijania do brzegu i w samotności. W czasie wyścigu na trasie długości 41 652 km kapitan musi być w pełnym ekwipunku, przypięty do jachtu. Jeśli wpadnie do wody, jest w stanie sam dostać się z powrotem na pokład.

Ratunku, Mamo!

Dlaczego wyścig dookoła świata jest niebezpieczny?

Podróż odbywa się głównie na półkuli południowej, gdzie rozciągają się

W czasie regat – od chwili wypłynięcia do chwili minięcia pierwszej boi – jachty płyną pod wiatr, muszą więc ustawiać się bokiem, by złapać wiatr w żagle.

W jaki sposób się przespać w czasie samotnej wyprawy?

Podobnie jak samoloty, nowoczesne statki wyposażone są w automatyczne piloty. Kiedy morze jest spokojne, sternik włącza autopilota i ucina sobie drzemkę albo coś zjada. Ale nigdy nie przesypia całej nocy.

największe obszary wodne naszej planety. Na wodzie wiatr szaleje zupełnie bezkarnie. Najtrudniejsze jest przepłynięcie z przylądka Horn do Chile. Fale osiągają tu wysokość 30–40 m.

nazwano na pamiątkę statków, które przewoziły tędy rum z Antyli do Francji. W 1990 roku Florence Arthaud w wieku 33 lat jako pierwsza kobieta samotnie pokonała tę trasę.

Dlaczego Szlak Rumowy nosi taką nazwę?

Ten szlak, łączący Saint- -Malo z Pointe-a-Pitre, mający długość 7456 km,

NIE DO WIARY!

● Pierwsze opłynięcie świata nastąpiło w 1898 roku. Trwało 4 lata! Od tamtej pory poczyniono znaczne postępy. W roku 2002 ekipie Brunona Peyrona udało się to w 64 dni.

Wioślarstwo

jak skonstruowane są wiosła?

Wiosło nie spoczywa na burtach, tak jak w tradycyjnych łódkach, ale jest zawieszone z każdej strony łodzi na specjalnych żelaznych podpórkach w kształcie trójkąta, umocowanych na kole zwanym podporą. Dzięki takiemu systemowi wiosło zyskało na długości, a wioślarze mogą jednym zamachem ramion przemierzać dłuższe dystanse.

by łódź przemierzyła pewien odcinek trasy, siedzenie odjeżdża do tyłu. Zanim powstał ten system, wioślarze musieli oliwić dno łodzi, by lepiej przesuwać się do przodu.

- *Wioślarstwo uprawia się tylko na stojących wodach, bez przeszkód. Długie i płaskie łodzie popychane są specjalnymi wiosłami.*

- *Już przed 4000 lat Egipcjanie urządzali wyścigi na Nilu.*

- *W wyścigach wioślarskich bierze udział od 6 do 8 łodzi. Każda mknie po własnym torze o szeroko- ści 5 m. Wygrywa ten zawodnik, który jako pierwszy przekroczy metę. Średnia prędkość łodzi to około 15 km/h.*

Dlaczego łodzie zderzają się ze sobą?

Wioślarze, którzy siedzą plecami do mety, płyną tyłem. Jest im niezwykle trudno mknąć po wyznaczonych trasach, nie wpadając

O, przepraszan

Dlaczego w wioślarstwie wszystko odbywa się jak na wrotkach?

Siedziska wioślarzy umieszczone są na kółkach i znajdują się na szynach na dnie łodzi. Za każdym razem, gdy wioślarze odbijają się wiosłami,

Dlaczego jest tak ważne, by nie zgubić pławy sygnalizacyjnej?

W chwili startu biała pława sygnalizacyjna z numerem łodzi znajduje się na stewie dziobowej łodzi. Minięcie mety tą częścią łodzi oznacza zakończenie wyścigu.

na tor sąsiada, zwłaszcza jeśli tory nie są od siebie oddzielone. Czasami dla ułatwienia co 500 m umieszcza się nad wodą chorągiewki wyznaczające poszczególne tory. Należy podążać tym tropem.

W jaki sposób wziąć udział w najsłynniejszym wyścigu wioślarskim świata?

Trzeba należeć do czołówki albo być bardzo dobrym uczniem. W tym wyścigu, który odbywa się od 1829 roku, biorą udział studenci Oksfordu i Cambridge, dwóch najlepszych uniwersytetów Anglii. To właśnie stąd w Europie wzięła się moda na wioślarstwo. Wyścig odbywa się na dystansie 6838 m na Tamizie w Londynie i bierze w nim udział 8 załóg składających się z 8 wioślarzy i sternika.

NIE DO WIARY!

- Wszyscy mistrzowie wioślarstwa są duzi i trochę ważą: średnio 95 kg przy wzroście 197 cm. Ale sternik jest dużo lżejszy: mężczyzna waży ok. 50 kg, kobieta ok. 45 kg.

Lotniarstwo

W XV wieku Leonardo da Vinci wyobraził sobie pierwszy spadochron. Ale wynalazek nie odniósł sukcesu. Pod koniec XIX wieku Niemiec Otto Lilienthal skonstruował bawełniane skrzydła przypięte do łodyg bambusa. Poniósł śmierć w czasie próby lotu. W końcu w 1960 roku inżynier z NASA wynalazł lotnię.

- Unoszenie się w powietrzu było jednym z odwiecznych marzeń człowieka. By stało się rzeczywistością, trzeba było poczekać na wynalezienie lotni, spadochronu i paralotni.

- Lotnia to ciężki sprzęt, którego sterowanie wymaga ogromnej siły fizycznej.

- Sportowy spadochron ma 2 prostokątne skrzydła, które po otwarciu nakładają się na siebie.

- Paralotnia, wymyślona w 1978 roku, jest lżejsza i wygląda jak prostokątny spadochron. Pilot wisi na pasach, linach podwieszających i siedzi na siodełku. Może sterować paralotnią dzięki 2 lotkom z tyłu i z przodu spadochronu.

Dlaczego na lotni lata się lotem ślizgowym?

Lotniarz wygodnie sobie leży, przypięty do spadochronu uprzężą. Istnieją różne modele lotni w zależności od pozycji lotniarza: stojącej, siedzącej, leżącej na plecach lub brzuchu (to najwygodniejsza z pozycji).

W jaki sposób lądować?

Należy ustawić się przodem do wiatru i wykonać zygzak, żeby zahamować i wytracić wysokość. Idealna sytuacja to postawienie nóg na ziemi przy minimalnej prędkości. Najlepsi lądują z zerową prędkością niczym ptaki. Wtedy nie muszą biec z całym sprzętem na plecach, by wyhamować.

W jaki sposób spotkać się na górze z innymi skoczkami?

Trzeba skoczyć z wysokości 2500 m w 4 albo 8 zawodników i podać sobie ręce albo nogi w taki sposób, żeby spadochron kolegi utworzył wraz z naszym dziwną piramidę. To bardzo niebezpieczne,

Dlaczego okrągłe spadochrony są niemodne?

Nie da się nimi kierować i spadają jak kamienie z prędkością 5 m/s. Upadek na ziemię jest dotkliwy. Prostokątne spadochrony mogą być sterowane 2 sterownikami i spadają z maksymalną prędkością 2 m/s. Okrągłych spadochronów używają tylko twardzi żołnierze.

gdyż wszyscy muszą wylądować z tą samą prędkością.

Jak rozpocząć treningi spadochronowe?

Skoki spadochronowe wykonuje się z wysokości 3000–3500 m z otwieranym ręcznie spadochronem, który należy otworzyć po 30–50 sekundach. Doświadczenie wskazuje jednak, że debiutant bywa tak bardzo przestraszony, iż często nie pociąga za rączkę, żeby otworzyć spadochron. Uczniowie skaczą więc z wysokości 1000 m na spadochronie, który otwiera się automatycznie po 3 sekundach.

NIE DO WIARY!
- Rekord lotni należy do Austriaka Manfreda Ruhmera, który w 2001 roku pokonał dystans 700,6 km.
- Dobry paralotniarz może unosić się na wysokości 3000 m na dystansie 300 km.

Lotnictwo

- *W 1890 roku Francuz Clément Ader skonstruował pierwszą maszynę latającą wyposażoną w silnik na parę, którą nazwał samolotem. Jego lot to odległość jednego skoku.*

- *Dzisiaj lotnictwo sportowe uprawiane jest na pokładach 3 rodzajów samolotów. Lekkie samoloty jednoosobowe ze śmigłem przeznaczone są do precyzyjnych lotów zwanych woltyżerką. Motolotnie – bardzo lekkie samoloty silnikowe – mają skrzydła jak lotnia. Szybowce to samoloty bez silnika, o bardzo długich skrzydłach. Lot odbywa się dzięki sile wiatru, który wieje z prędkością od 70 do 280 km/h.*

W jaki sposób wyprodukowano pierwszą motolotnię?

Z łodyg bambusa, strun fortepianu, kół rowerowych, kawałka jedwabiu i małego silnika benzynowego. Ta maszyna, nazwana *Baby*, była wynalazkiem brazylijskiego inżyniera Santosa-Dumonta na początku XX wieku. Nikt nie traktował jej wówczas poważnie. W 1970 roku jakiś Kalifornijczyk podchwycił pomysł i umieścił silnik wiertarki w lotni. Tak powstała współczesna motolotnia.

W jaki sposób startuje się szybowcem?

Szybowce nie mają silnika: nie można wystartować samemu. W 1856 roku Francuz Jean-Marie Le Bris odbył pierwszy lot, ciągnięty przez konia. W naszych czasach szybowce są

ciągnięte przez samoloty. Samolot wynosi szybowiec na wysokość 500 m.

Dlaczego szybownicy zawsze zabierają ze sobą aparat fotograficzny?

W czasie zawodów piloci muszą przebyć trasę w kształcie trójkąta albo wielokąta, o długości 100 km. Na niebie nie można zawiesić żadnych punktów orientacyjnych. Stałe elementy wskazujące drogę to kościoły, zamki itp. Żeby udowodnić, że droga została przebyta zgodnie z regulaminem, pilot robi podczas lotu zdjęcia.

Jak nauczyć się latać?

W przypadku lotnictwa klasycznego szkolenie zaczyna się w wieku 16 lat i obejmuje około 45 lotów w towarzystwie doświadczonego instruktora. Żeby uzyskać licencję szybowcową, trzeba m.in. wykonać 5-godzinny lot nadlotniskowy i przekroczyć pułap 1000 m. Można uzyskiwać różne licencje i ciągle podnosić swoje kwalifikacje, zdobywając nowe uprawnienia.

W jaki sposób odbywa się konkurs akrobacji?

Samoloty muszą wykonać serię figur akrobatycznych (beczka, korkociąg, pętla) w kwadracie o boku 1 km. Obok 7 sędziów notujących jakość wykonywanych figur, 2 sędziów kontroluje granice obszaru, na którym piloci wykonują akrobacje. Nie mogą oni wylecieć poza wyznaczony obszar i są również zobowiązani do przestrzegania minimalnej i maksymalnej wysokości. Oglądającym wydaje się, że są wolni jak ptaki, a tak naprawdę mają bardzo ograniczone pole działania.

NIE DO WIARY!

● Rekord wysokości bezwzględnej lotu na szybowcu należy do Amerykanina Roberta Harrisa: 14 938 m! Rekord odległości, również szybowca, to 1450 km.

Jeździectwo

Przed 5000 lat konie hodowano dla mięsa. Człowiek zaczął jeździć konno przed 3500 lat, po to żeby przemierzać dalekie odległości i prowadzić wojny. Pierwsze sporty konne to wyścigi zaprzęgów, a następnie średniowieczne turnieje. W XVI wieku powstało jeździectwo, czyli sztuka jazdy konnej.

Do repertuaru igrzysk olimpijskich należą 3 dyscypliny: skoki przez przeszkody, ujeżdżenie i Wszechstronny Konkurs Konia Wierzchowego – ujeżdżenie, skoki przez przeszkody, próba terenowa...

W niektórych zawodach kobiety i mężczyźni mogą występować razem.

Skąd pochodzi koń?

Przed 60 milionami lat przodek konia był wielkości lisa. Gatunek ewoluuje bardzo powoli: przed 1,5 milionem lat pojawia się współczesny koń. Przed 2000 lat istniały tylko 3 rasy koni: arabska, andaluzyjska i afrykańska. Ludzie skrzyżowali je, otrzymując w ten sposób ponad 200 współczesnych ras koni.

Jakie są rodzaje koni?

Rasy koni podzielone są na 3 rodzaje: kucyki, konie gorącokrwiste i konie zimnokrwiste. Do tych ostatnich należą wszystkie konie pociągowe, które służyły człowiekowi pomocą w polu. Ich krew jest równie gorąca, jak innych koni, ale mają zupełnie inny temperament. Konie gorącokrwiste, żywe i nerwowe, zostały przeznaczone do jeździectwa.

Dlaczego rów z wodą jest gorzej punktowany niż barierka?

Szerokie przeszkody są łatwiejsze do zaliczenia niż te wysokie. Do szerokich przeszkód należą rowy z wodą, krzaki, poprzeczki ustawione w kształcie schodów. Jest naprawdę tysiąc sposobów, żeby rzucać jeźdźcowi kłody pod nogi.

Strój jeźdźca pokonującego przeszkody przypomina, że te zawody wywodzą się z polowania z nagonką.

W jaki sposób przygotować konia do zawodów?

Jeźdźcy bardzo dbają o konie. Nacierają im pyski oliwką żeby błyszczały. Obcinają im włosy na uszach. Zaplatają grzywę i czeszą ogon. Na nogi zwierzęcia zakłada się getry, by chroniły przed uderzeniami.

nim. Widzimy więc, jak sami pokonują przeszkody i, przeskakując je, mierzą. Wszystko po to, żeby obliczyć, w jaki sposób pokonać je na grzbiecie konia w trakcie konkursu.

Dlaczego jeźdźcy najpierw sami przeskakują przeszkody – bez konia?

W czasie konkursu skoków przez przeszkody jeźdźcy zapoznają się z trasą w ostatniej chwili, tuż przed startem. Nie mogą poznać terenu na koniu, ale mają prawo do przejścia się po

NIE DO WIARY!

- Najmniejszy koń świata – falabella – ma mniej niż 50 cm wysokości w kłębie i waży 20 kg. Ten minikonik, otrzymany w wyniku krzyżówek, znany jest z ogromnej odporności.

Dlaczego w trakcie ujeżdżenia zawodnik i koń są tacy rozluźnieni?

Dlatego, że za to zdobywa się punkty na zawodach. Ujeżdżenie, zwane turą, polega na wykonaniu pewnych figur i przyjęciu pewnych postaw w określonym czasie. Zawodnik oceniany jest za spokój i opanowanie. Koń za uległość, lekkość i elegancję.

Dlaczego we Wszechstronnym Konkursie Konia Wierzchowego mogą brać udział tylko jeźdźcy prezentujący bardzo wysoki poziom?

Ta konkurencja wymyślona przez wojskowych trwa 3 dni: pierwszego dnia odbywa się ujeżdżenie, drugiego dnia sprawy się komplikują: objechanie 6,5 km ścieżki, stipl, wyścig na trasie 3,5 km z 10 przeszkodami, nowy objazd 6,5 km, cross 7,7 km w galopie z 35 wysokimi przeszkodami. Trzeciego dnia – jeśli koń jest jeszcze w dobrej formie (gdyż zawodnik nie ma prawa do zmiany konia) – zawody kończą się konkursem skoków na krętej trasie o długości 800 m, z 12 przeszkodami.

Jak powstał stipl?

Ten słynny wyścig powstał w Irlandii, gdzie po raz pierwszy został rozegrany pomiędzy 2 kościołami, stąd nazwa „wyścig z dzwonem". Odbywa się na dystansie 3–7 km z 8–12 przeszkodami, z czego co najmniej 4 są różne: kamienny mur, barierka, fosa, pień drzewa itd.

Jak jeździć na koniu niczym kowboj?

Kowboje trzymają lejce w jednej ręce i opierają ją

na karku konia, by nim kierować (zamiast pociągać zwierzę). Amerykańskie konie mają uzdy bez wędzideł. Są tresowane tak, żeby reagować na każdy najmniejszy gest, i są bardziej nerwowe. W pełnym galopie mogą się nagle zatrzymać, robić obroty, stawać. W Europie jeździectwo westernowe staje się coraz modniejsze. Organizuje się nawet zawody.

Jak zostać królem gymkhany – wyścigu ze sztucznie ustawionymi przeszkodami?

To seria zawodów konnych, pochodzących z Indii, w których mogą brać udział dzieci. Chodzi o kluczenie pomiędzy przeszkodami

W czasie pokazów ujeżdżenia każda figura jest oceniana w skali od 0 do 10 przez sędziów, którzy przyznają również noty całościowe zwierzęciu.

Wyścigi wytrzymałościowe są coraz bardziej popularne. Są rozgrywane na dystansach 40–160 km, z tym samym koniem, w ciągu 1–2 dni (maksymalnie 100 km dziennie). Weterynarz stale bada zwierzęta i może nie dopuścić ich do dalszych zawodów, jeśli są zbyt zmęczone.

W jaki sposób rozgrywany jest Ride and Run?

Ten amerykański wyścig odbywa się na dystansie 50–80 km, w drużynach. Każda drużyna składa się z konia i 2 jeźdźców. Jeden z nich przemierza trasę konno, podczas gdy drugi biegnie obok, i tak na zmianę.

i wbijanie chorągiewek w słomiane snopki w galopie (słynny wyścig z chorągiewkami) albo wyjęcie z ziemi tyczek ustawionych w rzędzie, z kopią w ręku, bez zwalniania galopu.

NIE DO WIARY!

● 69,62 km/h to największa prędkość rozwinięta przez konia, ogiera Big Racket – w Meksyku w lutym 1945 roku.

Sporty konne

- *Polo istniało już przed 3000 lat w Persji i Chinach. To najstarszy sport na koniu. Jego nazwa pochodzi od tybetańskiego słowa „pulu", które oznacza piłkę. Do Europy polo trafiło dzięki Brytyjczykom stacjonującym w Indiach. Mecz rozgrywa się w maksymalnym czasie 1 godziny na trawiastym boisku o długości 275 i szerokości 183 m (czasami mniej). W grze biorą udział 2 drużyny, każda składa się z 4 jeźdźców. Celem gry jest posłanie piłki kijem do bramki o szerokości 7,5 m i wysokości 3 m.*

- *Piłka konna pochodzi z Argentyny i łączy w sobie cechy koszykówki, woltyżerki i rugby. Celem gry jest umieszczenie piłki w koszu zawieszonym na wysokości 3,5 m. Mecz rozgrywany jest przez 2 drużyny składające się z 4 jeźdźców.*

W co wyposażeni są zawodnicy grający w polo?

Mają na sobie kaski, ochraniacze na kolana (zabezpieczające przed uderzeniami kija) i rękawice ułatwiające chwytanie piłki. Wszystko przypięte jest gumkami, gdyż ruchome elementy „zbroi" mogłyby zranić przeciwnika w starciu. Koń też jest zabezpieczony: na nogach ma getry, na kopytach antypoślizgowe podkowy i ochraniacze. W polo kopyta odgrywają niezwykle ważną rolę...

Dlaczego konie do gry w polo są takie małe?

W grze w polo biorą udział kuce. To koniki o maksymalnej wysokości 1,53 m. Na początku grano na maleńkich konikach rasy mongolskiej, takich jak koń

Przewalskiego. Mniejsze konie są zwinniejsze i dają jeźdźcom większą swobodę ruchu.

W jaki sposób piłka konna stała się mniej brutalna?

Wiele osób twierdzi, że to bardzo brutalny sport. Ale co w takim razie myśleć o grze, z której się wywodzi – argentyńskim pato? „Pato" oznacza w języku hiszpańskim kaczkę. Piłką była skórzana torebka, w której zaszywano żywą kaczkę. Kiedy upadała na ziemię, ptak kwakał.

piłkę, puszcza wodze, by wyrwać ją przeciwnikowi, staje na siodle, by wrzucić ją do kosza – a to wszystko w galopie. By ograniczyć ryzyko upadku, nogi ma w specjalnych strzemionach. Zwinność zawodników przypomina wyczyny kozaków – wojowników, którzy podczas walki błyskawicznie chowali się pod brzuchem konia, by umknąć ciosowi wroga.

Piłka konna to sport siłowy i niezwykle widowiskowy, gdyż zawodnicy muszą chwytać piłkę z ziemi albo przejąć ją od przeciwnika, nie zsiadając z konia.

Dlaczego piłka ma przyszyte pętle?

Po to, żeby lepiej ją chwytać. W piłce konnej nie ma kija, a w czasie gry nie wolno zsiadać z konia. Piłka ma 6 skórzanych uchwytów – łatwiej podnieść ją z ziemi, gdy spadnie, albo wyrwać z rąk przeciwnikowi.

Dlaczego piłka konna jest podobna do woltyżerki?

Zawodnik schyla się aż do ziemi, żeby podnieść

NIE DO WIARY!

● Gra w polo rozgrywana jest na największym boisku, na jakim gra się w gry z piłką. Niektóre z tych boisk mają powierzchnię 5 hektarów.

Starożytna olimpiada

- W 884 roku przed narodzeniem Chrystusa król Ifitos, który chciał położyć kres wojnom rujnującym jego kraj, udał się do wyroczni delfickiej, wieszczki Apollina. Poleciła mu ona zorganizować zawody, w których będą mogli uczestniczyć Grecy. Wybrano Olimpię i pierwsze igrzyska rozegrano jeszcze w tym samym roku.

- Dopiero od 776 roku przed narodzeniem Chrystusa igrzyska organizowano co 4 lata. Trwały 6 dni.

- W roku 146 przed narodzeniem Chrystusa Grecja stała się prowincją rzymską. Zawody olimpijskie jako pogańska rozrywka w roku 392 n.e. zostały zniesione przez cesarza Teodozjusza Pierwszego.

Dlaczego w czasie igrzysk olimpijskich płonął znicz?

To znicz pokoju. Symbolizował rozejm, który przerywał walki pomiędzy greckimi miastami na okres 6 dni trwania igrzysk. By ogłosić rozpoczęcie igrzysk, zawodnik niosący pochodnię przemierzał Grecję, oznajmiając nowinę ludowi.

Dlaczego starożytni sportowcy byli nadzy?

Na samym początku mieli przepaskę na biodrach. W roku 720 przed narodzeniem Chrystusa atleta Orsippos z Megary zgubił przepaskę na trasie biegu. Nie przeszkodziło mu to zupełnie w zajęciu pierwszego miejsca. Organizatorzy podjęli decyzję, że zawodnicy będą odtąd nadzy. Nawet sędziów zmuszono do zdjęcia okryć.

Jak nagradzano zwycięzców?

Byli koronowani wieńcem oliwnym i zdobywali amforę oliwy z oliwek. Po powrocie do rodzinnego miasta zawodnik otrzymywał od władcy 500 drachm – sumę niebotyczną na owe czasy – i pozostawał bohaterem do końca życia.

Dlaczego kobiety nie miały wstępu do Olimpii?

Kobiety nie mogły uczestniczyć w igrzyskach ani ich oglądać. Złamanie zakazu groziło śmiercią. Sport

Fragment wazy z VI wieku przed narodzeniem Chrystusa ukazuje walkę 2 zapaśników. Liczne wazy greckie przedstawiają sceny dyscyplin z antycznych igrzysk.

a stadion olimpijski – 232 m. W biegach długodystansowych, sportowcy biegali w tę i z powrotem po stadionie, gwałtownie wyhamowując na końcu toru, przy słupku, i zawracali. Nie było to zbyt wygodne. Dlatego wymyślono owalny stadion i owalną bieżnię o długości 400 m.

czekać na ten przywilej do 1928 roku!

Dlaczego stadiony są owalne?

Początkowo stadion był jednostką miary, wynoszącą 192,25 m. Stadion to również nazwa pierwszej z dyscyplin olimpijskich – biegu na dystansie 192 m,

był szlachetnym zajęciem i uznawano, że kobiety nie są go godne. Igrzyska były domeną wolnych mieszkańców greckich miast. Cudzoziemcy i niewolnicy nie mogli w nich uczestniczyć. Tym różniły się one od współczesnych igrzysk, które w roku 1896 dopuściły do zawodów wszystkich... poza kobietami, które musiały

NIE DO WIARY!

● Olimpia została zniszczona w 395 roku przez Gotów, a w 426 roku spalona przez Rzymian i zalana lawą w czasie trzęsienia ziemi w roku 550. Ponownie ujrzała światło dzienne dzięki archeologom w roku 1829.

Współczesne olimpiady

- W roku 1896, 1504 lata po wymazaniu ich z kart historii, igrzyska olimpijskie zostały wskrzeszone dzięki wysiłkom barona Pierre'a de Coubertin. Pierwszą olimpiadę rozegrano w Atenach, na cześć jej ojczyzny.

- Dzisiaj igrzyska olimpijskie to 28 różnych dyscyplin i 300 konkurencji. Rozgrywane są w okresie letnim co 4 lata i trwają 15 dni. Olimpiada w Sydney w 2000 roku zgromadziła 15 000 sportowców z 200 państw.

- Zimowe igrzyska olimpijskie powstały w 1924 roku. Zawodnicy biorą obecnie udział w 15 dyscyplinach zimowych. Do 1992 roku odbywały się w tym samym roku co igrzyska letnie. Następnie przesunięto je w czasie o 2 lata.

W jaki sposób dyscypliny dopuszczane są do igrzysk olimpijskich?

W przypadku mężczyzn dyscyplina musi być uprawiana w 75 krajach, na 4 kontynentach, a w przypadku kobiet w 40 krajach, na 3 kontynentach. Pewne przestarzałe sporty usunięto z igrzysk, np. przeciąganie liny, tandemy. Niektóre z dyscyplin dopiero niedawno weszły do repertuaru igrzysk: snowboard, taekwondo, siatkówka plażowa.

Dlaczego na olimpijskiej fladze umieszczono 5 okręgów?

5 okręgów symbolizuje 5 kontynentów, jedność i przyjaźń narodów. Każdy z okręgów ma inny kolor: niebieski to Europa, żółty – Azja, czarny – Afryka, czerwony – Ameryka,

zielony – Australia. Flaga została stworzona przez barona Coubertin w 1913 roku i po raz pierwszy załopotała na igrzyskach w Antwerpii w 1920 roku.

Gdzie mieszkają sportowcy podczas igrzysk?

Niedaleko stadionu budowana jest wioska olimpijska. Pierwsza powstała w Los Angeles w 1932 roku. Wstęp mieli tu jedynie mężczyźni. Kobiety, dopuszczone do igrzysk w roku 1928, musiały radzić sobie same aż do roku 2000!

W jaki sposób ludzie niepełnosprawni mogą ustanawiać rekordy?

Od 1960 roku organizowane są igrzyska paraolimpijskie dla osób niepełnosprawnych. Odbywają się 15 dni po olimpiadzie. Ludzie niepełnosprawni dokonują ogromnych wyczynów. W roku 1992 wyścig na dystansie 1500 m w wózku inwalidzkim został ogłoszony sportem pokazowym klasycznych igrzysk.

Olimpijski płomień wciąż pali się w Olimpii. Przed każdą olimpiadą jest niesiony przez cały świat na stadion, na którym odbywają się igrzyska.

w roku 1900 w Paryżu: zawody pływackie odbyły się w Sekwanie, rzut dyskiem na trawniku z drzewami, zapomniano także o materacu dla skaczących wzwyż. To dzięki Szwedom igrzyska zorganizowane w 1912 roku w Sztokholmie przyjęły dzisiejszą formę.

Dlaczego początkowo nowożytne igrzyska olimpijskie nie cieszyły się wielkim powodzeniem?

Igrzyska były mało popularne i źle organizowane. Najgorsze zostały rozegrane

NIE DO WIARY!

● Wyczynem wieku ogłoszono skok w dal na odległość 8,9 m oddany przez Amerykanina Boba Beamona w roku 1968. Ot tak, poprawił on rekord o 55 cm. Sędziom zabrakło instrumentów pomiarowych!

Trening

Mistrzem nie zostaje się
z dnia na dzień. To efekt
wielu lat ćwiczeń, według
ściśle zaplanowanych
zasad i raczej kwestia
chęci i wytrwałości niż siły
fizycznej.

Zanim poświęcimy życie
wymarzonej dziedzinie
sportu, sprawdźmy,
czy mamy uzdolnienia
w danym kierunku.
Otoczenie i trener powinni
nas wspierać. Sami
zaś musimy mieć chęć
rywalizacji i wielką siłę
charakteru.

Sport można z powodzeniem
uprawiać amatorsko. Stały
trening pomaga dzieciom
w rozwijaniu zdolności
ruchowych, a dorosłym
w utrzymaniu dobrej
formy, będąc przy okazji
świetną rozrywką.

Skąd wiedzieć, kiedy zacząć?

Najlepszy moment na
rozpoczęcie treningów to
wiek 7–13 lat. Niektóre
sporty mogą być uprawiane
wcześniej. Należą do nich
gimnastyka i tenis – Martina
Hingis trzymała rakietę
w ręku w wieku 3 lat. Niektóre
dyscypliny, na przykład
podnoszenie ciężarów,
nie są wskazane przed
zakończeniem etapu wzrostu.

Jak wybrać odpowiednią dyscyplinę?

Osoba silna i lubiąca walkę
doskonale odnajdzie się
na boisku rugby. Osoby
o drobnej budowie są
wspaniałymi rowerzystami.
Trzeba robić
to, co się
lubi.

Gry w piłkę powinny
wybrać te osoby, które
dobrze się czują w grupie.
Lekkoatletyka to dyscyplina
dla tych, którzy lubią
ekstremalny
wysiłek.

Dlaczego życie mistrza jest ciężkie?

Mistrz trenuje całe dnie,
zaczynając od pompek
i rozciągania, a kończąc
na wieczornym bieganiu.
To praca na pełny etat!
Każdy posiłek jest dokładnie
zaplanowany. Sportowiec
bardzo dużo pije: co
najmniej 3,5 litra wody
dziennie – o kawie może
zapomnieć.

W jaki sposób trening zmienia ciało sportowca?

Najważniejsze są te
zmiany, których nie widać.
Aktywność fizyczna dobrze

może być Jeannie Longo uprawiająca kolarstwo albo Isabelle Autissier – żeglarstwo. Kobiety są bardziej zwinne – to urodzone mistrzynie gimnastyki, łyżwiarstwa i skoków do wody.

wpływa na wydolność serca i płuc, które przyjmują więcej tlenu i rozprowadzają go do mięśni. Przyrasta tkanka mięśniowa. Mięśnie są bardziej wydajne. Gimnastyka powoduje ich rozciągnięcie, a dzięki skokom i koszykówce człowiek staje się bardziej dynamiczny.

Dlaczego kobiety nie powinny mieć kompleksów w stosunku do mężczyzn?

Kobiety mają szybszy rytm serca i mniejsze płuca. Biegi, rower i pływanie są dla nich trudniejsze. Ale ponieważ umieją się lepiej koncentrować, są w stanie dogonić mężczyzn, czego przykładem

NIE DO WIARY!

● Dorosły człowiek wydziela 1 litr potu dziennie. Uczestnik maratonu – od 4 do 6 litrów podczas biegu!

Sporty ekstremalne

Dlaczego na lotni nie zawsze się leci?

W świecie latających szaleńców powstała ostatnio nowa dyscyplina: akrobacje na lotni. Chodzi o wykonywanie podniebnych skoków i obrotów. Jest to na tyle trudne, że spadochroniarze są wyposażeni w 2 dodatkowe spadochrony bezpieczeństwa i zawsze podczas akrobacji powinni pozostawać ponad wodą, do której upadek jest mniej niebezpieczny.

Dlaczego sporty motorowodne są takie niebezpieczne?

Sporty motorowodne to nazwa wszystkich dyscyplin, w których stosuje się jednostki pływające z silnikiem. Najbardziej znane to wyścigi offshore na pełnym morzu albo wyścigi wielokadłubowców wyposażonych w silnik Ferrari; są delikatne, a tną wodę jak papier z prędkością 250 km/h. Przy takiej szybkości powierzchnia morza jest twarda jak beton. Uwaga na złamania!

Dlaczego przy skoku na bungee życie wisi na włosku?

Ludzie skaczą z mostów, dźwigów albo helikoptera w przepaść. Są przy tym podtrzymywani specjalną liną splecioną z 800–2000 lateksowych włókien. Niestety nie zapobiega to wypadkom, ale biorą się one bardziej z nieumiejętności przybrania właściwej pozycji niż z niesolidności sprzętu...

Dlaczego nie umiera się od skeletonu?

Skeleton (po angielsku znaczy szkielet, kościotrup) to archaiczne sanki – dwie połączone ze sobą metalową poprzeczką łyżwy. Zawodnik kładzie się na brzuchu, głową w dół, z nosem 3 cm od ziemi i zjeżdża po torze z prędkością 140 km/h. Kieruje, balansując ciałem, a hamuje stopami – nie ma kierownicy ani hamulców.

Jak rydwany powracają do łask?

Wszyscy sądzili, że epoka rydwanów już dawno minęła. Ale tak nie jest! Rydwan z żaglem cieszy się ogromną popularnością na europejskich plażach i pustyniach Afryki, gdzie organizuje się kilkusetkilometrowe wyścigi.

Rekord głębokości to 209 m. Rekord czasu pozostawania pod wodą zapiera dech w piersiach: 11 minut i 35 sekund.

Jak umrzeć ze strachu?

Skoki spadochronowe to jedna z najbardziej ekstremalnych dyscyplin sportowych. Polega ona na wykonaniu skoku i jak najpóźniejszym otwarciu spadochronu. Prędkość lotu wynosi średnio 250 km/h. W skokach grupowych 4–8 skoczków trzyma się za ręce, tworząc gwiazdy, koła i inne figury podniebne. Magiczny widok!

W czasie lotu zbiorowego spadochroniarze tworzą przeróżne figury.

treningów i olbrzymiej objętości płuc (u najlepszych prawie 8 litrów), gdyż nurkowanie odbywa się bez użycia butli. Nurkowie do schodzenia używają ciężarków, a do wypłynięcia spadochronu.

Współczesny rydwan ma niezwykle delikatną obudowę na kołach i duży żagiel. Sunie po piasku z prędkością 150 km/h. Na lodzie, wyposażony w łyżwy, osiąga prędkość 230 km/h.

Jak zobaczyć świat na niebiesko?

By zostać zawodowym nurkiem, trzeba wielu godzin intensywnych

NIE DO WIARY!

● Jednym z najbardziej ekstremalnych sportów jest spływ kajakowy z wodospadów. Rekordowy skok został oddany z wysokości 19,7 m z wodospadu Aldeyarfoss na Islandii.

Niebywałe dyscypliny

Dlaczego do uprawiania narciarstwa nie potrzeba już śniegu?

Narciarstwo alpejskie przestało być modne. Narciarze długodystansowi wpadli na pomysł przyczepienia kółek do nart. Teraz uprawiają narciarstwo wszędzie, nawet w mieście. W lecie turyści jeżdżą na pastwiskach pomiędzy pasącymi się krowami.

Dlaczego bumerang zawsze wraca do rąk rzucającego?

Żeby się nie zgubić! Bumerang został wymyślony przed 20 000 lat przez australijskich Aborygenów i służył do polowania. Dzięki zakrzywionej formie umiejętnie rzucony zawsze wraca do rąk wyrzucającego, jeśli nie dosięgnie celu.

Jak zostać mistrzem curlingu?

To sport, który zrodził się na lodowiskach XV-wiecznej Szkocji. Przypomina nieco hokeja, ale rozgrywany jest za pomocą granitowego kamienia o wadze 20 kg zamiast krążka i szczotek zamiast kijów. W meczu biorą udział 2 drużyny składające się z 4 zawodników. Jeden z zawodników wypuszcza kamień, pozostali szczotkują powierzchnię przed kamieniem po to, żeby lepiej ślizgał się po lodzie i dotarł do celu. W 1992 roku curling stał się dyscypliną olimpijską.

Dlaczego walka na kopie kończy się pocałunkiem?

Na pierwszy rzut oka nie jest to dyscyplina dla zaprzyjaźnionych ze sobą osób. 2 mężczyzn ustawia się w łodziach prowadzonych przez kilku wioślarzy i stacza walkę kopiami. Celem walki jest wyrzucenie przeciwnika z łodzi. Ale bez żalu. Tradycja tego starego sportu, który liczy 5000 lat, nakazuje, żeby zwycięzca zanurkował za przewróconym do wody przeciwnikiem i pocałował go w wodzie.

Dlaczego Baskowie uprawiają dziwny sport?

Podnoszenie słomianych snopków, noszenie baniek z mlekiem, przeciąganie liny w 30 osób, wyścigi w workach – a to wszystko całkiem na poważnie. To duma Basków

W grze w curling każdy zawodnik dysponuje 2 kamieniami z rączką. Celem gry jest umieszczenie kamienia jak najbliżej środka tarczy namalowanej na powierzchni lodu.

Dlaczego Ziemia nie jest już taka okrągła?

Ostatni wynalazek Amerykanów to gra w kulę ziemską. Polega na popychaniu ogromnej kuli do linii bramkowej drużyny przeciwnika. Ta gra została stworzona, żeby zakpić z zażartej rywalizacji. Nie ma tu żadnych punktów. Liczy się jedynie przyjemność ze wspólnej zabawy.

i wielowiekowa tradycja. Co roku rozgrywane są oficjalne pojedynki i mistrzostwa w tych dziwnych dyscyplinach.

serwować piłkę w taki sposób, żeby 2 razy odbiła się w polu przeciwnika. Pięść jest zabandażowana, co amortyzuje uderzenia. To nieco prymitywna gra, ale wszyscy świetnie się przy niej bawią.

Jak grać w tenisa pięściami?

Odbijanie piłki pięścią wywodzi się ze średniowiecza i jest niezwykle popularne w północnej części Francji i we Włoszech. Należy

NIE DO WIARY!

● W 1900 roku Austriak Johann Hurlingen przebył 1400 km, maszerując na rękach.

Tytuł oryginału: Pour répondre aux questions des enfants. Les Sports
Tłumaczenie: Agata Tomaszewska-Antoniewicz

Copyright © 2007 FLEURUS Éditions
Copyright © 2013 for the Polish edition by Firma Księgarska Olesiejuk spółka z ograniczoną odpowiedzialnością S.K.A.
Wydawnictwo Olesiejuk, an imprint of Firma Księgarska Olesiejuk spółka z ograniczoną odpowiedzialnością S.K.A.

ISBN 978-83-274-0756-6

fk WYDAWNICTWO OLESIEJUK

Firma Księgarska Olesiejuk spółka z ograniczoną odpowiedzialnością S.K.A.
05-850 Ożarów Mazowiecki, ul. Poznańska 91
wydawnictwo@olesiejuk.pl
www.wydawnictwo-olesiejuk.pl

Wszelkie prawa zastrzeżone

Dystrybucja: www.olesiejuk.pl

Druk: DRUK-INTRO S.A.